La Pandilla

2

Libro del Alumno

Liliana Torres

Mª Luisa Hortelano
Elena González

GRUPO DIDASCALIA, S.A.
Plaza Ciudad de Salta, 3 - 28043 MADRID - (ESPAÑA)
TEL.: (34) 914.165.511 - (34) 915.106.710
FAX: (34) 914.165.411
e-mail: edelsa@edelsa.es
www.edelsa.es

Primera edición: 2004
Primera reimpresión: 2006

Autoras: María Luisa Hortelano Ortega.
Elena González Hortelano.

Dirección y coordinación editorial: Departamento de Edición de Edelsa.
Diseño de cubierta: Departamento de Imagen de Edelsa.
Diseño y maquetación de interior: Dolors Albareda.
Ilustrador: Alberto Lozano Domínguez.

Imprenta: EGEDSA.

ISBN: 978-84-7711-939-5
ISBN Pack (Libro del Alumno + Cuaderno de Actividades): 978-84-7711-944-9
Depósito legal: B-46998-2006

Impreso en España / *Printed in Spain*

Índice

ESCUCHAR
LEER
ESCRIBIR
OBSERVAR
RECUERDA
REPETIR
SEÑALAR
CANTAR
JUGAR
DIBUJAR
TRABAJO MANUAL
EN PAREJAS
EN GRUPO

¿Te acuerdas de

1.  Escucha y lee.

¿Te acuerdas de mí? Soy Julia. Tengo 10 años. Soy española. Vivo en Madrid, con mi padre y mi hermano. Mi hermano se llama Ramón y tiene 15 años. Mi madre está trabajando en Bolivia. Tengo una araña y una rana.

¡Hola! ¿Cómo estáis? Nosotros somos hermanos. Yo soy Rubén y tengo 10 años. Ella es Ana y tiene 8 años. Somos mexicanos, pero vivimos en Madrid. Tenemos un hermano que se llama Omar y tiene 6 años. Yo tengo un ratón que se llama Cito.

Yo tengo una tortuga que se llama Pancha. Mis abuelos viven en México.

2.  Contesta.

- ¿Cuántos años tiene Rubén?
- ¿Qué mascotas tiene Julia?
- ¿Cómo se llama la hermana de Chema?

3. Observa y aprende.

	SER	ESTAR	TENER	VIVIR
(Yo)	soy	estoy	tengo	vivo
(Tú)	eres	estás	tienes	vives
(Él/ella)	es	está	tiene	vive
(Nosotros/as)	somos	estamos	tenemos	vivimos
(Vosotros/as)	sois	estáis	tenéis	vivís
(Ellos/ellas)	son	están	tienen	viven

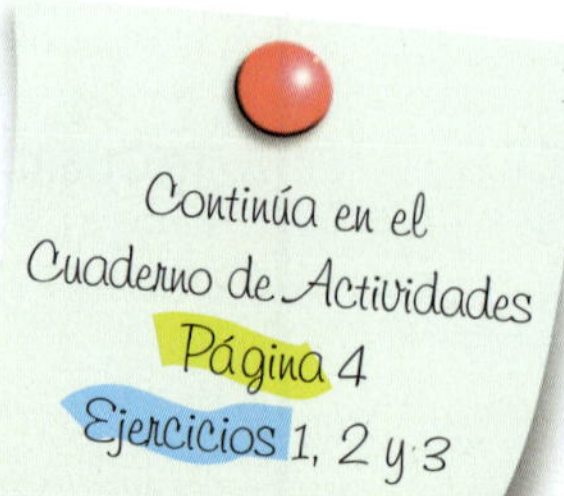

4. Practica.

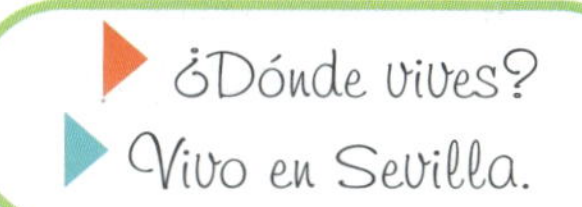

- ¿Con quién vives?
- Vivo con mis padres y mi hermano.

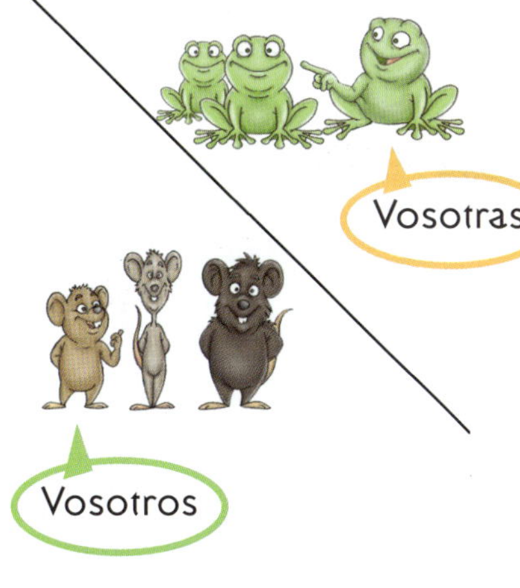

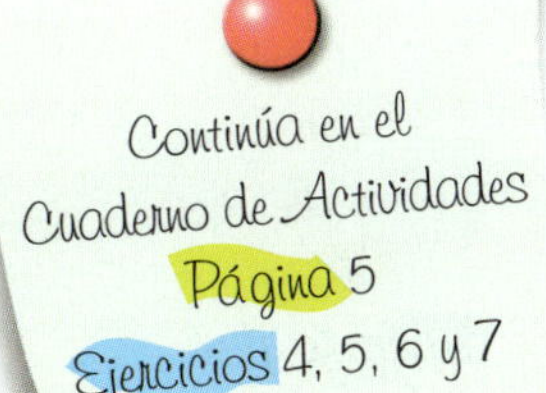

LECCIÓN 2

Hablamos español

1. Observa el mapa.

2. Escucha y canta.

Buenos días, América

Buenas.
Buenos días, América.
¿Cómo estás?, muy buenas *(4 veces)*.

Buenos días, América.
Buenos días, ¿cómo está usted?
(Estribillo anterior.)

3. Practica.

▶ ¿Qué idiomas hablas?
▶ Hablo portugués y un poco de español.

Francia	→	francés
Reino Unido	→	inglés
Alemania	→	alemán
Brasil	→	portugués
Rusia	→	ruso
Japón	→	japonés
Italia	→	italiano

4. ¿Qué idioma se habla en...?

5. Observa y aprende.

HABLAR

(Yo)	hablo
(Tú)	hablas
(Él/ella)	habla
(Nosotros/as)	hablamos
(Vosotros/as)	habláis
(Ellos/ellas)	hablan

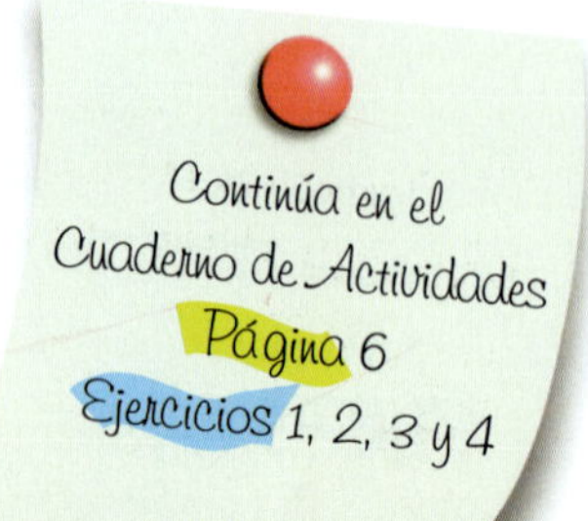

6. 

Escucha y lee.

¿De dónde eres?

¿De dónde sois?

7. Observa y aprende.

ESPAÑA	español	español**a**	español**es**	español**as**
PORTUGAL	portugués	portugu**esa**	portugu**eses**	portugu**esas**
ARGENTINA	argentino	argentin**a**	argentin**os**	argentin**as**

8. 

Practica.

- ¿De dónde eres?
- Soy español. Soy de España.

9. Señala un personaje y pregunta a tu compañero su origen.

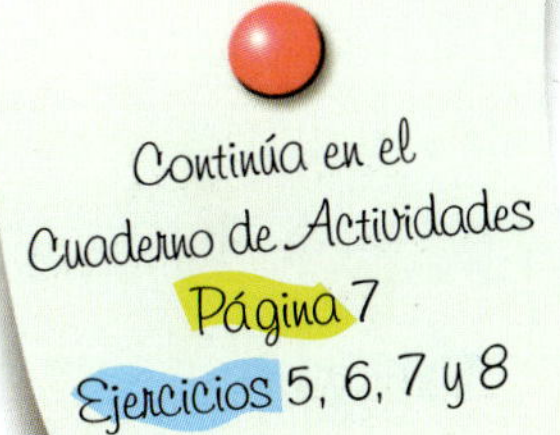

¿Dónde vives?

1.  Escucha y lee.

"El hermano de mi madre es mi tío. Mi tío es español pero vive en Argentina. Su mujer es canadiense. Tienen un hijo y una hija. Mis primos hablan español, francés y un poco de inglés. Viven en Buenos Aires, plaza de la Independencia, 7 segundo A".

2.  Contesta.

- ¿Dónde vive el tío de Elena?
- ¿Qué idiomas hablan los primos de Elena?
- ¿Cuál es su dirección?

3. Observa y aprende.

a la calle

b la plaza

c la avenida

d el piso

e el chalé

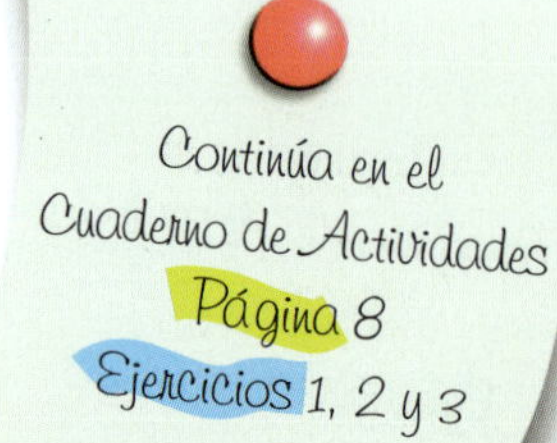

¿Cuál es tu dirección? 3

4. Escucha y relaciona.

David Ortega Moreno
C/ Murcia, 7 - 4º C
Barcelona

Susana Gomez Gil
Calle Valenzuela, 12
Sevilla

Belén y Rosa Rodríguez Cruz
Avenida de Francia, 7
Madrid

Miguel García Martínez
Plaza de los Amigos, 10 - 5º A
Valencia

5. Pregunta la dirección a tu compañero.

- ¿Cuál es tu dirección?
- Calle...

El rincón de los sonidos

a. Escucha y repite.

b. Practica con tu compañero.

¿Cómo se escribe casa?

ce - a - ese - a

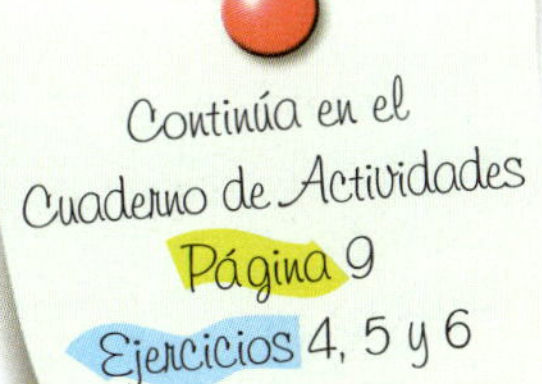

Continúa en el Cuaderno de Actividades
Página 9
Ejercicios 4, 5 y 6

De paseo por ...

La ciudad

1.  **Escucha, lee y contesta.**

d

Ahora estamos en el Museo del Prado. Es un museo de pintura. Hay cuadros de muchos pintores: italianos, alemanes, españoles...

Madrid es la capital de España. ¿Cuál es la capital de tu país?

¿Sabes el nombre de otras capitales?

¿Qué lugares puedes visitar en tu ciudad?

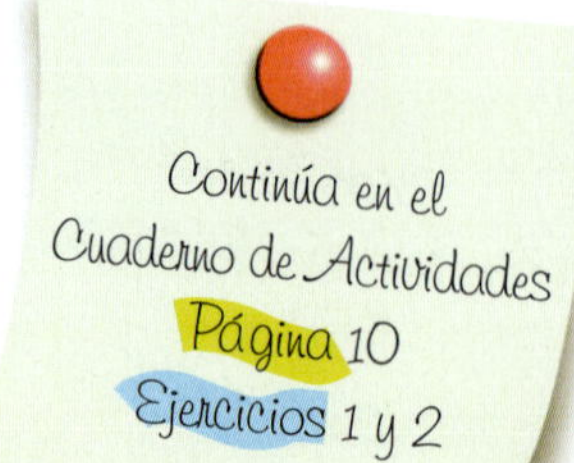

Y ahora... Nuestro Proyecto

1. Completa con tus datos una ficha como ésta.

Nombre: Elena
Edad: 9 años
Nacionalidad: española
Idiomas: español - portugués
Familia: madre - abuela
Mascota: un perro: Colega

2. Escribe un texto con la información anterior.
(Puedes añadir dibujos, fotografías. Sigue el modelo.)

Yo soy Elena. Tengo 9 años. Soy española. Vivo en Madrid, calle Laurel, 27. Hablo español y un poco de portugués. No tengo hermanos. Vivo con mi madre y con mi abuela. Tengo un perro.

3.  Preséntate a tus compañeros.

4. Haced un mural con los textos de toda la clase.

El chiste

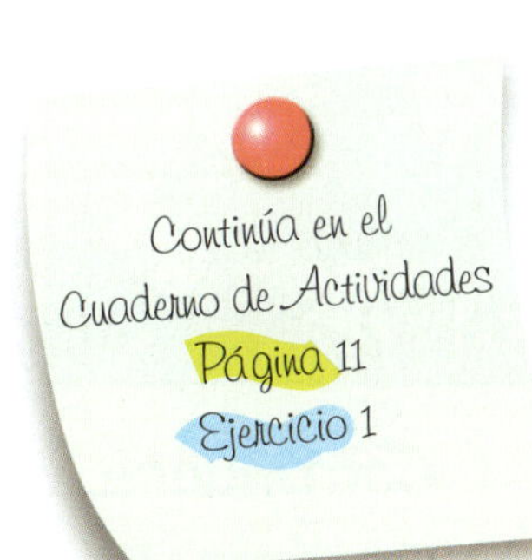
Continúa en el Cuaderno de Actividades
Página 11
Ejercicio 1

El rincón de lectura

"Un agujero en el agua"

Capítulo 1

Continuará...

repasar

Mis documentos. Abrir carpetas

1. ¿Lo sabes? Repasa y señala.

PREGUNTAR Y DECIR DÓNDE VIVIMOS Y CON QUIÉN VIVIMOS

- ¿Dónde vives?
- Vivo en Madrid.
- ¿Cuál es tu dirección?
- Vivo en la calle Laurel, 27.
- ¿Con quién vives?
- Vivo con mis padres.

VOCABULARIO DE FAMILIA

el hijo	la hija
el tío	la tía
el primo	la prima

HABLAR EN PLURAL

nosotros - nosotras
vosotros - vosotras
ellos - ellas

LOS SONIDOS

ca - que - qui
co - cu

NÚMEROS ORDINALES

1º primero
2º segundo
3º tercero
4º cuarto
5º quinto

PREGUNTAR Y DECIR QUÉ IDIOMAS HABLAMOS

- ¿Qué idiomas hablas?
- Hablo español y francés.

PREGUNTAR Y DECIR DE DÓNDE SOMOS

- ¿De dónde eres?
- Soy de España. Soy español.

ADJETIVOS DE NACIONALIDAD

español/a - españoles/as
francés/a - franceses/as
chino/a -chinos/as

	HABLAR	ESTAR	TENER	SER	VIVIR
(Yo)	hablo	estoy	tengo	soy	vivo
(Tú)	hablas	estás	tienes	eres	vives
(Él/ella)	habla	está	tiene	es	vive
(Nosotros/as)	hablamos	estamos	tenemos	somos	vivimos
(Vosotros/as)	habláis	estáis	tenéis	sois	vivís
(Ellos/ellas)	hablan	están	tienen	son	viven

2. Me ha parecido...

Colorea

Las profesiones

1. Escucha y lee.

2. Observa y aprende.

a actriz

b estudiante

c profesor

d cocinero

e enfermera

f policía

g periodista

h taxista

i camarera

j cantante

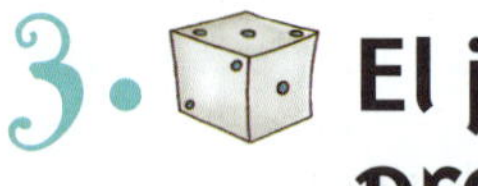

3. El juego de las profesiones.

Elige un personaje del ejercicio 2 y represéntalo. Tus compañeros lo tienen que adivinar.

abogado - abogada
profesor - profesora
actor - actriz
estudiante - estudiante
taxista - taxista

Continúa en el Cuaderno de Actividades
Página 14
Ejercicios 1 y 2

4.   Escucha y numera.

¿Dónde trabajan?

5.  Contesta.

- ¿Dónde trabaja Pedro?
- ¿Qué es Fiona?

6.  Observa y aprende.

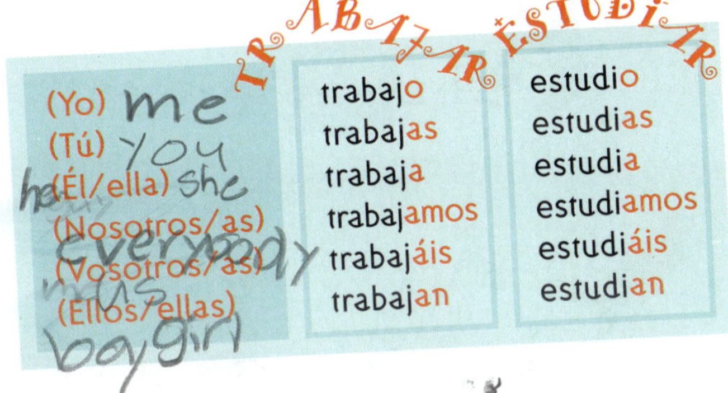

	TRABAJAR	ESTUDIAR
(Yo)	trabajo	estudio
(Tú)	trabajas	estudias
(Él/ella)	trabaja	estudia
(Nosotros/as)	trabajamos	estudiamos
(Vosotros/as)	trabajáis	estudiáis
(Ellos/ellas)	trabajan	estudian

7.  Escucha y canta.

La canción de los oficios

Me pongo de pie,
me pongo de pie,
me vuelvo a sentar,
me vuelvo a sentar,
porque a los oficios
vamos a jugar. (Bis)

Voy a representar un niño peluquero,
que peina con un peine
y corta muchos pelos.

Me pongo de pie...

Voy a representar una niña camionera
que conduce muy contenta
y canta en la carretera.

Me pongo de pie...

Voy a representar un niño pastelero,
haciendo tartas de queso
¡dame una que yo quiero!

Me pongo de pie...

Voy a representar unos niños ingenieros
con ingenio y con cariño
mejorando el mundo entero.

Me pongo de pie...

Continúa en el
Cuaderno de Actividades
Página 15
Ejercicios 3, 4, 5 y 6

Animales salvajes (1)

1. Observa el mapa.

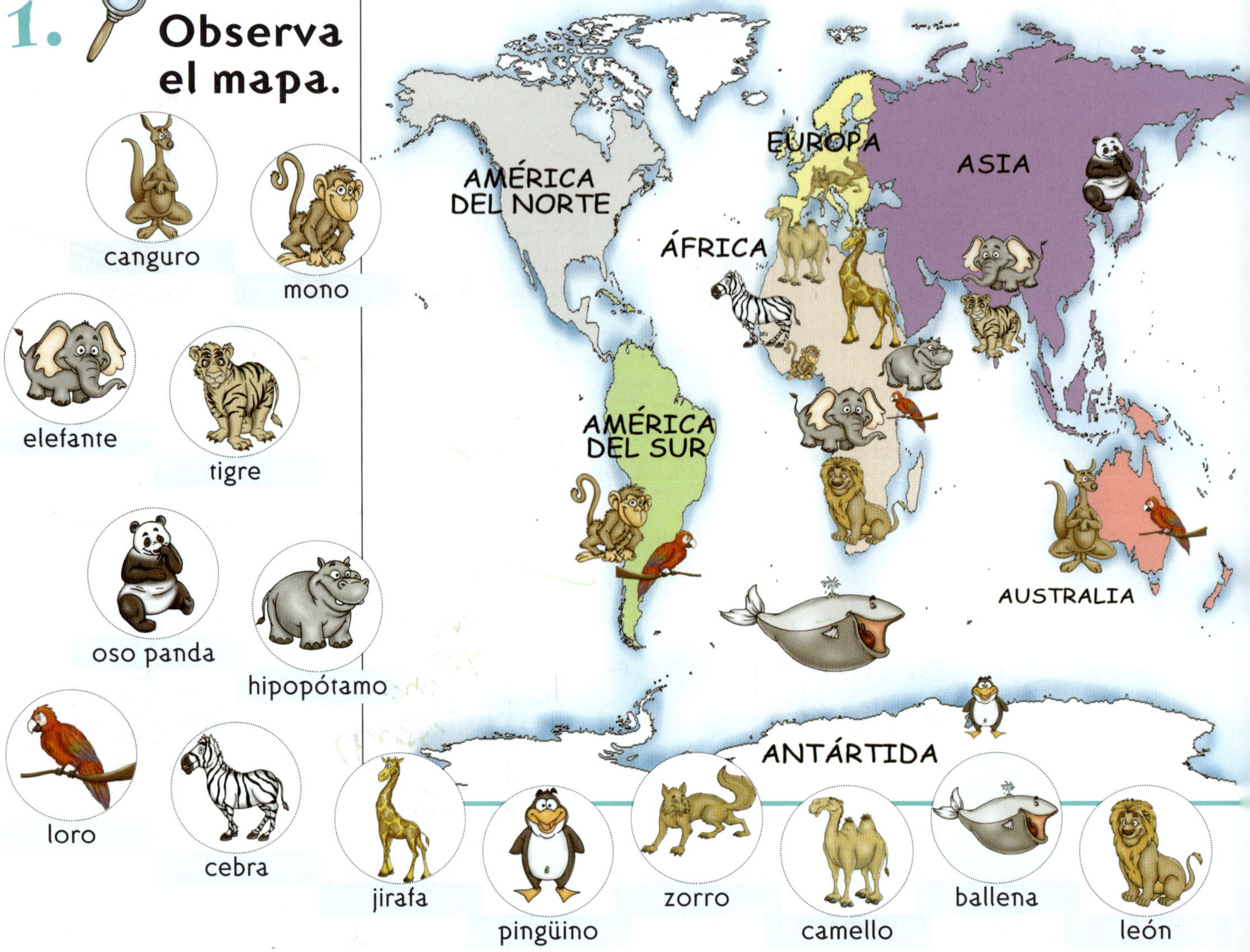

canguro
mono
elefante
tigre
oso panda
hipopótamo
loro
cebra
jirafa
pingüino
zorro
camello
ballena
león

AMÉRICA DEL NORTE
EUROPA
ASIA
ÁFRICA
AMÉRICA DEL SUR
AUSTRALIA
ANTÁRTIDA

2. Mira de nuevo el mapa y practica con tu compañero.

- ¿Dónde viven los canguros?
- Los canguros viven en Australia.

Estudiante A

Las ballenas
Los monos
Los tigres
Los osos pandas
Los hipopótamos
Los elefantes

Estudiante B

Los loros
Las cebras
Los leones
Los pingüinos
Los camellos
Los zorros

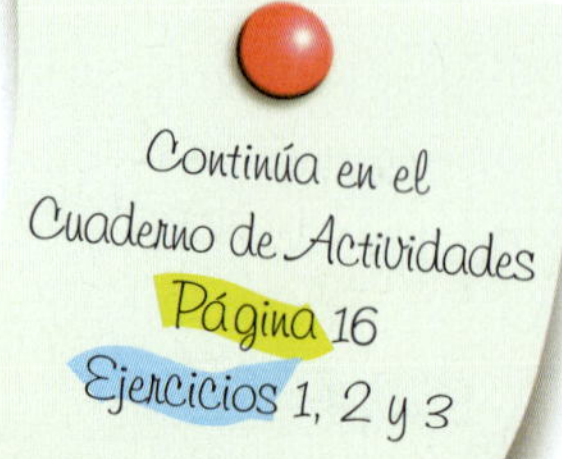

3.  Escucha y lee.

a Los elefantes son animales muy grandes. Son de color gris. Tienen las orejas grandes y una nariz muy larga que se llama trompa. Viven en África y en Asia. Comen hierba, hojas  y frutas .

b Los loros son pequeños. Son de colores: amarillo, verde, azul, rojo...  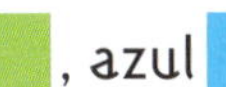 

Su boca se llama pico . Saben volar, cantar, hablar y caminar. Viven en América del Sur, en África y en Australia. Comen semillas y frutos .

4.   Elige un animal y descríbelo. Tu compañero tiene que adivinar cuál es.

5.  Observa y aprende.

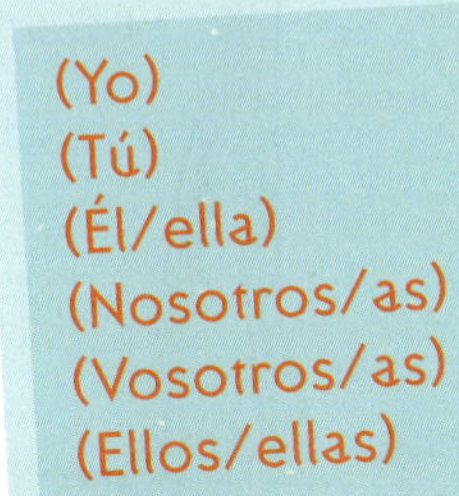 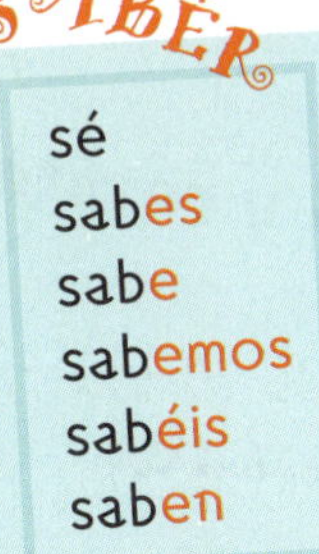 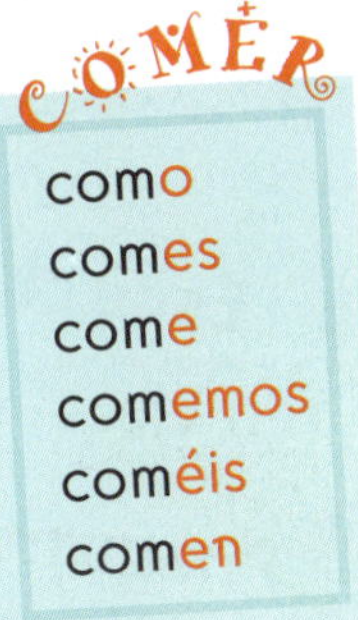

	SABER	COMER
(Yo)	sé	como
(Tú)	sabes	comes
(Él/ella)	sabe	come
(Nosotros/as)	sabemos	comemos
(Vosotros/as)	sabéis	coméis
(Ellos/ellas)	saben	comen

El chiste

Continúa en el Cuaderno de Actividades
Página 17
Ejercicios 4, 5 y 6

LECCIÓN 6

Animales salvajes (2)

1.  Escucha y repite.

río	carne	pescado	nadar
saltar	volar	correr	subir a los árboles

2.  Lee y relaciona.

Es grande y gordo. Es de color gris. Tiene la boca muy grande, las patas cortas y las orejas pequeñas. Vive en los ríos y come hierba.

Vive en Australia. Tiene una bolsa para llevar a sus hijos. Sabe saltar. Come vegetales.

Tiene los dientes muy grandes, la cola larga y las patas cortas. Es verde, vive en los ríos. Come carne y pescado.

Es un ave grande. Tiene el cuello muy largo y la cabeza pequeña. Tiene las patas muy largas. No sabe volar pero sabe correr muy rápido. Vive en África. Come hierba y pequeños animales.

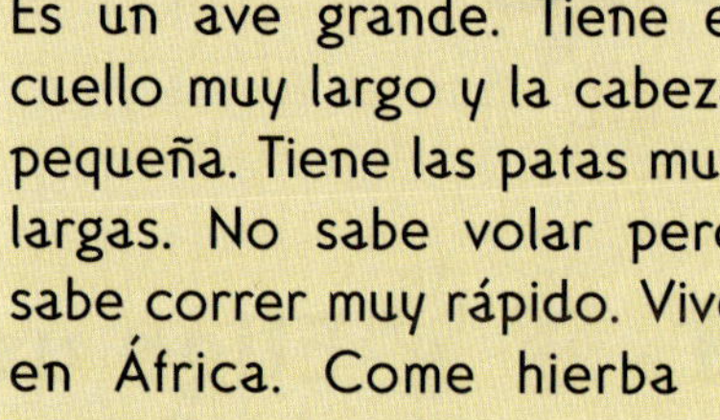

Es pequeño. Tiene dos brazos y dos piernas. Sabe subir a los árboles. Es marrón. Tiene una cola muy larga.

El rincón de los sonidos

a.  Escucha y repite.

b.  Pregunta a tus compañeros.

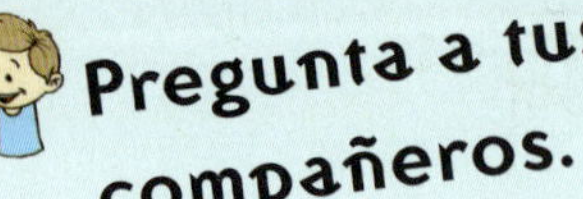

¿Cómo se escribe tiza?

te - i - ceta - a

Continúa en el Cuaderno de Actividades
Página 18
Ejercicios 1, 2 y 3

3. Juega con tus compañeros.

⚀ Es un/una...	⚃ Se deletrea...
⚁ Tiene...	⚄ Sabe...
⚂ No sabe...	⚅ Come...

Salida

Fin

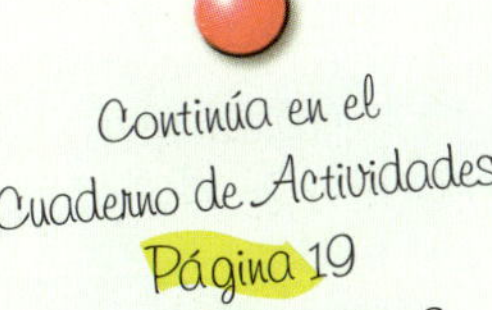

Continúa en el Cuaderno de Actividades
Página 19
Ejercicios 4, 5 y 6

De paseo por ...

1.  Escucha, lee y contesta.

Hoy estamos visitando el zoo de Madrid. ¡Es genial!

Los pingüinos son aves pero no saben volar. Saben nadar y bucear. Son de color blanco y negro. Comen pescado y viven en la Antártida.

a

Las jirafas son muy altas. Tienen el cuello muy largo y las patas muy largas. Son amarillas y marrones. Viven en África. Comen hojas. Saben caminar y correr pero no saben bucear.

¡Mira!

¡Qué cuello más largo!

b

¡Cómo saltan!

c

Los delfines son mamíferos. Saben nadar y bucear muy bien. También saben saltar fuera del agua. Son muy inteligentes y muy cariñosos. Hablan silbando. Comen pescado y viven en el mar.

¿Hay zoo en tu ciudad?

¿Has ido alguna vez a un zoo?

¿Qué animal te gusta más?

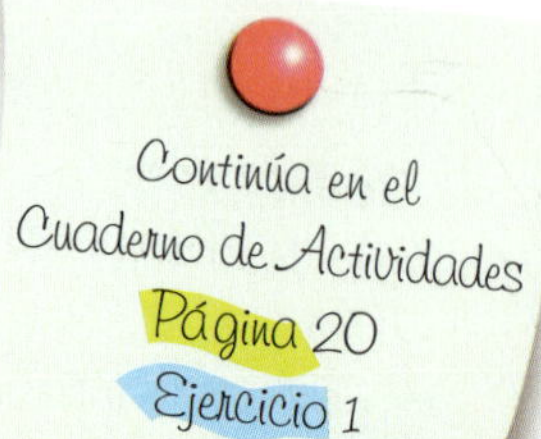

Y ahora...
Nuestro Proyecto

1. **Elige el animal que más te guste.**

2. **Descríbelo y dibújalo.**

Es un/una... Tiene...
Es de color... Come...
No sabe... Sabe...
Vive en...

3. **Expónlo al grupo.**

4. **Haced un mural con todos los dibujos y textos.**

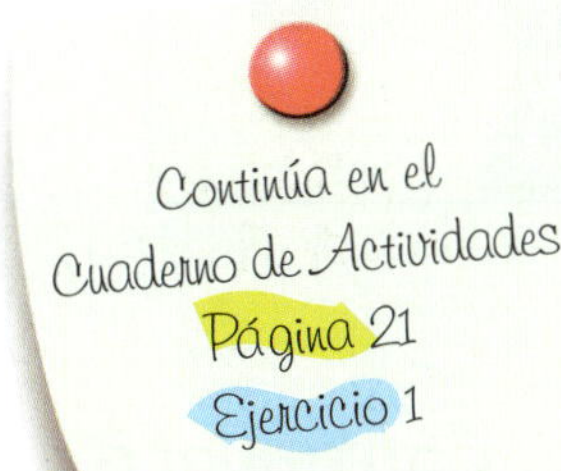
Continúa en el
Cuaderno de Actividades
Página 21
Ejercicio 1

El rincón de lectura

Vamos a

Capítulo 2

Continuará...

repasar

Mis documentos. Abrir carpetas

1. ¿Lo sabes? Repasa y señala.

LOS SONIDOS

za - ce - ci
zo - zu

PREGUNTAR Y DECIR LA PROFESIÓN Y DÓNDE SE TRABAJA

- ¿Qué es tu padre?
- Mi padre es panadero.
- ¿Qué hace tu madre?
- Mi madre es abogada.
- ¿Dónde trabaja tu madre?
- Mi madre trabaja en un hospital.

ANIMALES SALVAJES

el canguro	el oso	la jirafa
el mono	el pingüino	el delfín
el tigre	el camello	la cebra
el oso panda	el zorro	el tiburón
el hipopótamo	el elefante	la ballena
el loro	el avestruz	

PROFESIONES

el médico - la médica
el profesor - la profesora
el cocinero - la cocinera
el pintor - la pintora
el cantante - la cantante
el peluquero - la peluquera
el periodista - la periodista
el abogado - la abogada
el conductor - la conductora
el camarero - la camarera

HABLAR DE LOS ANIMALES SALVAJES: CÓMO SON, DÓNDE VIVEN Y QUÉ SABEN HACER.

Los cocodrilos son verdes. Tienen los dientes grandes, la cola larga y las patas cortas. Comen carne y pescado. Viven en los ríos.

	ESTUDIAR	TRABAJAR	COMER	SABER
(Yo)	estudi**o**	trabaj**o**	com**o**	sé
(Tú)	estudi**as**	trabaj**as**	com**es**	sab**es**
(Él/ella)	estudi**a**	trabaj**a**	com**e**	sab**e**
(Nosotros/as)	estudi**amos**	trabaj**amos**	com**emos**	sab**emos**
(Vosotros/as)	estudi**áis**	trabaj**áis**	com**éis**	sab**éis**
(Ellos/ellas)	estudi**an**	trabaj**an**	com**en**	sab**en**

2. Me ha parecido...

Colorea

difícil

regular

fácil

Mi colegio

1.  Lee y contesta.

Éste es mi colegio.
Está muy cerca de mi casa. Se llama Colegio Aldebarán. Aldebarán también es el nombre de una estrella. ¿Cómo se llama tu colegio?

2.   Escucha y numera.

La biblioteca

El gimnasio

La clase

El patio

El comedor

El aula de informática

El salón de actos

La secretaría

3.   Señala un dibujo del ejercicio 2 y pregunta a tu compañero.

4. Observa y aprende.

(Yo)	voy
(Tú)	vas
(Él/ella)	va
(Nosotros/as)	vamos
(Vosotros/as)	vais
(Ellos/ellas)	van

ir + al patio
ir + a la biblioteca

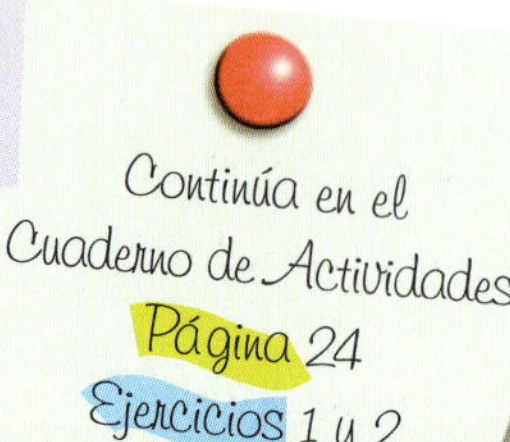

Éstas son mis asignaturas...

5.   Escucha y repite.

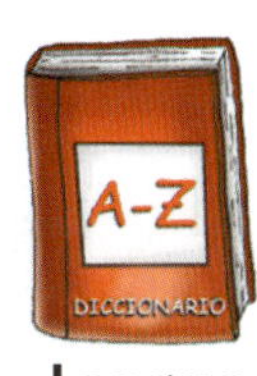

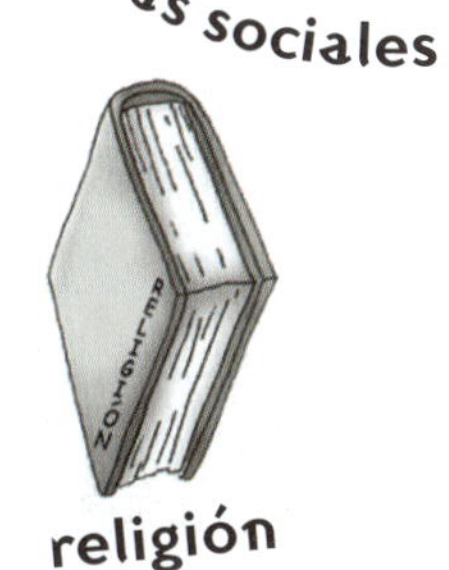

lengua
matemáticas
inglés
ciencias naturales
historia
geografía
ciencias sociales
dibujo
trabajos manuales
música
educación artística
gimnasia
deportes
juegos
educación física (E.F.)
religión

6.   Practica.

- ¿Qué asignaturas estudias?
- Estudio lengua, matemáticas...

7. Lee y observa.

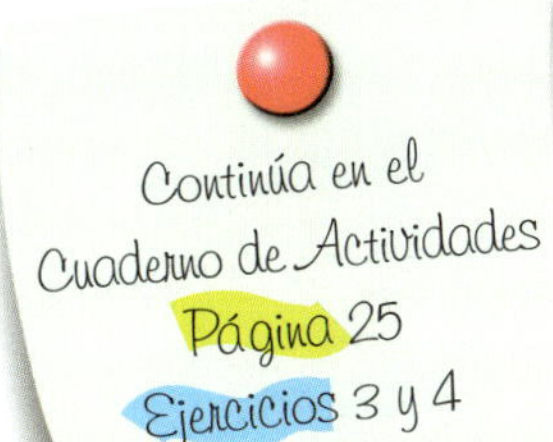
Continúa en el Cuaderno de Actividades Página 25 Ejercicios 3 y 4

8.  Elige una asignatura y pregunta a tus compañeros.

¿Te gusta la geografía?

LECCIÓN 8

¿A qué hora te

en punto

menos

y

menos cuarto

y cuarto

menos

y

y media

1. Observa y aprende.

2. Señala uno de estos relojes y di qué hora es.

a

b

c

d

El rincón de los sonidos

a. Escucha y repite.

b. Practica con tus compañeros.

¿Cómo se escribe gato?

ge - a - te - o

ga go gu gue gui güe güi

Continúa en el Cuaderno de Actividades
Página 26
Ejercicios 1 y 2

3.   Escucha y lee.

LEVANTARSE
(Yo) me levanto
(Tú) te levantas
(Él/ella) se levanta
(Nosotros/as) nos levantamos
(Vosotros/as) os levantáis
(Ellos/ellas) se levantan

ACOSTARSE
(Yo) me acuesto
(Tú) te acuestas
(Él/ella) se acuesta
(Nosotros/as) nos acostamos
(Vosotros/as) os acostáis
(Ellos/ellas) se acuestan

4. Observa y aprende.

	DESAYUNAR	CENAR
(Yo)	desayuno	ceno
(Tú)	desayunas	cenas
(Él/ella)	desayuna	cena
(Nosotros/as)	desayunamos	cenamos
(Vosotros/as)	desayunáis	cenáis
(Ellos/ellas)	desayunan	cenan

5.   Ordena las viñetas y di lo que hace.

Continúa en el Cuaderno de Actividades
Página 27
Ejercicio 3

LECCIÓN 9

¿Qué haces en tu

1. Juega con tus compañeros.

2. Observa y aprende.

	DIBUJAR	LEER	ESCRIBIR
(Yo)	dibujo	leo	escribo
(Tú)	dibujas	lees	escribes
(Él/ella)	dibuja	lee	escribe
(Nosotros/as)	dibujamos	leemos	escribimos
(Vosotros/as)	dibujáis	leéis	escribís
(Ellos/ellas)	dibujan	leen	escriben

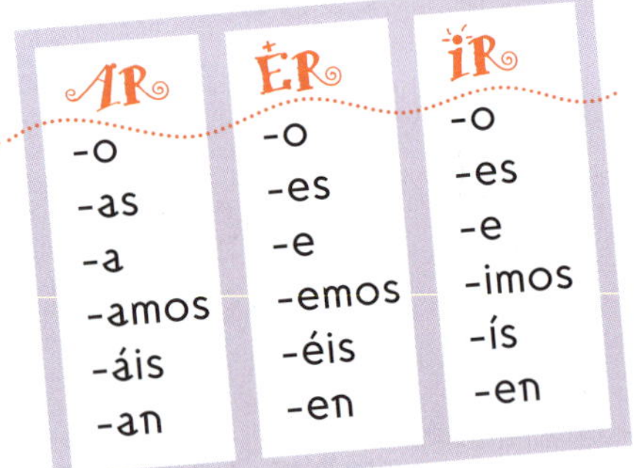

AR	ER	IR
-o	-o	-o
-as	-es	-es
-a	-e	-e
-amos	-emos	-imos
-áis	-éis	-ís
-an	-en	-en

3. Recuerda.

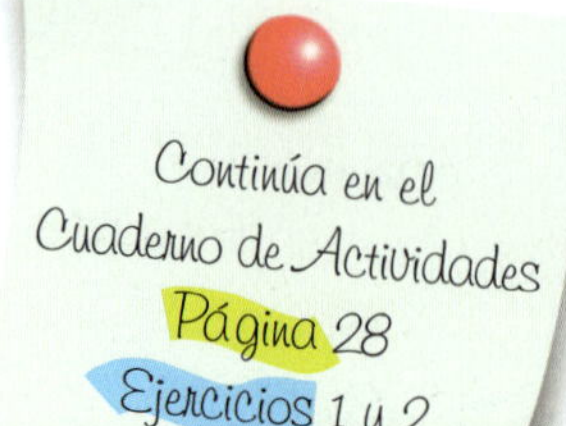

4. Lee y relaciona.

Martes y jueves.

Lunes y miércoles.

Domingo por la mañana.

Sábado por la mañana.

Sábado por la tarde.

Domingo por la tarde.

5. Pregunta a tu compañero.

- ¿Qué haces los martes por la tarde?
- Voy a clases de arte.

6. Escucha y canta.

Yo soy un artista

Yo soy un artista y vengo de París
tú eres un cuentista y no vienes de allí
yo sé tocar muy bien
y nosotros también.

Yo toco la guitarra
Chinguilipungui, chinguilipungui *(3 veces)*
chinguilipunguipunguipa.

Yo soy un artista...

Yo toco la trompeta
Paparapá, paparapá... *(3 veces)*
Pa, parapa, parapá.

Yo soy un artista...

Yo toco el violín
Tiririí, tiririí... *(3 veces)*
Ti, tiriri, tiririí.

Yo soy un artista...

Yo toco el tambor
Pompompón, pompompón *(3 veces)*
Pom, pompompon, pompompón.

7. Observa y aprende.

	HACER
(Yo)	hago
(Tú)	haces
(Él/ella)	hace
(Nosotros/as)	hacemos
(Vosotros/as)	hacéis
(Ellos/ellas)	hacen

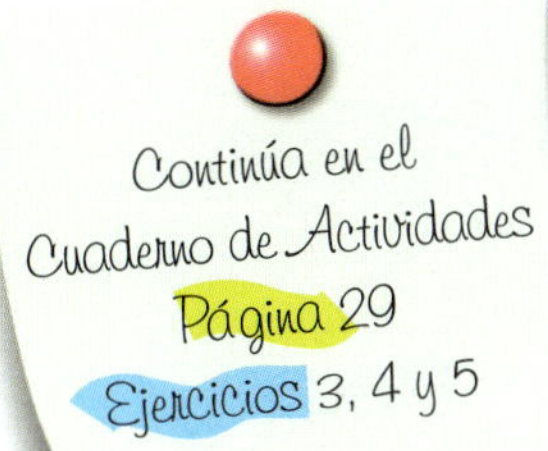
Continúa en el Cuaderno de Actividades
Página 29
Ejercicios 3, 4 y 5

De paseo por ...

El museo y el parque

1. Escucha, lee y contesta.

VENIR

(Yo)	vengo
(Tú)	vienes
(Él/ella)	viene
(Nosotros/as)	venimos
(Vosotros/as)	venís
(Ellos/ellas)	vienen

Continúa en el Cuaderno de Actividades Página 30 Ejercicios 1 y 2

Y ahora... Nuestro Proyecto

1. Describe y dibuja una de las estancias del colegio.

Ésta es mi clase. En mi clase hay siete mesas y veintiséis sillas. Tenemos una pizarra y un armario. En la pared hay un mapa y trabajos de los niños y niñas.

2. Describe y dibuja a un profesor.

Éste es mi profesor. Se llama Antonio. Antonio es moreno y tiene los ojos marrones. Lleva gafas y es muy simpático. Sabe cantar muy bien y le gusta leer.

3. Expón al grupo una de las descripciones.

4. Haced una revista con toda la información.

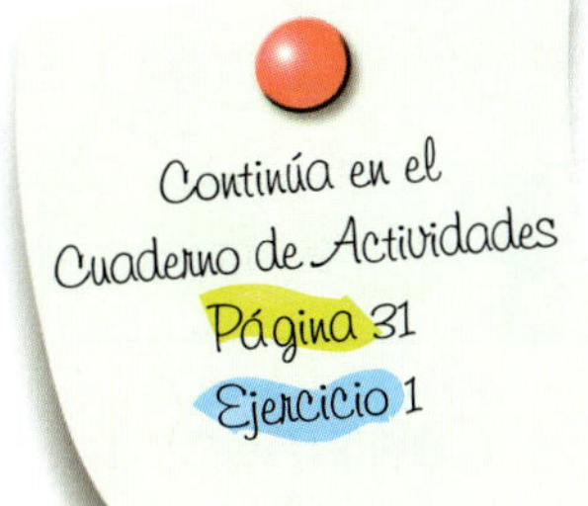

El chiste

¿Qué hora es cuando un canguro pisa tu reloj?

Hora de comprar otro nuevo.

El rincón de lectura

Vamos a...

Capítulo 3

Continuará...

repasar

Mis documentos. Abrir carpetas

1. ¿Lo sabes? Repasa y señala.

HABLAR SOBRE EL COLEGIO

- ¿Cómo se llama tu colegio?
- ¿Hay salón de actos?
- ¿Qué asignaturas estudias / tienes?
- ¿Qué tienes los lunes a las 10:00?

EL COLEGIO

Lugares: el gimnasio, la biblioteca, el comedor, el salón de actos, la clase, el patio, el aula de informática, la secretaría...

Asignaturas: lengua, matemáticas, inglés, ciencias naturales, ciencias sociales, educación artística, educación física, religión...

PREGUNTAR Y DECIR ADÓNDE VAMOS Y DE DÓNDE VENIMOS

- ¿Adónde vas?
- Voy al patio.
- ¿De dónde vienes?
- Vengo del comedor.

HABLAR SOBRE LAS ACTIVIDADES DIARIAS

¿A qué hora te levantas, desayunas, comes...?
¿A qué hora vas al colegio?
¿A qué hora te acuestas?
¿Qué haces los martes por la tarde?

VOCABULARIO DE TIEMPO LIBRE

Instrumentos musicales:
El piano, la trompeta, el violín...

Deportes:
Fútbol, tenis, baloncesto, nadar, patinar, esquiar, montar en bici...

Otros:
Cine, teatro, museos...

HABLAR SOBRE ACTIVIDADES DE TIEMPO LIBRE

Los sábados por la tarde voy al cine.
Los domingos juego al fútbol.
Los jueves por la tarde toco la guitarra.

LOS SONIDOS

ga - go - gu
gue - gui
güe - güi

VERBOS

Ir, venir, levantarse, acostarse.

Desayunar, cenar, hacer.

2. Me ha parecido...

Colorea

difícil

regular

fácil

LECCIÓN 10 Mi casa

1. Observa, escucha y lee.

La casa de Julia

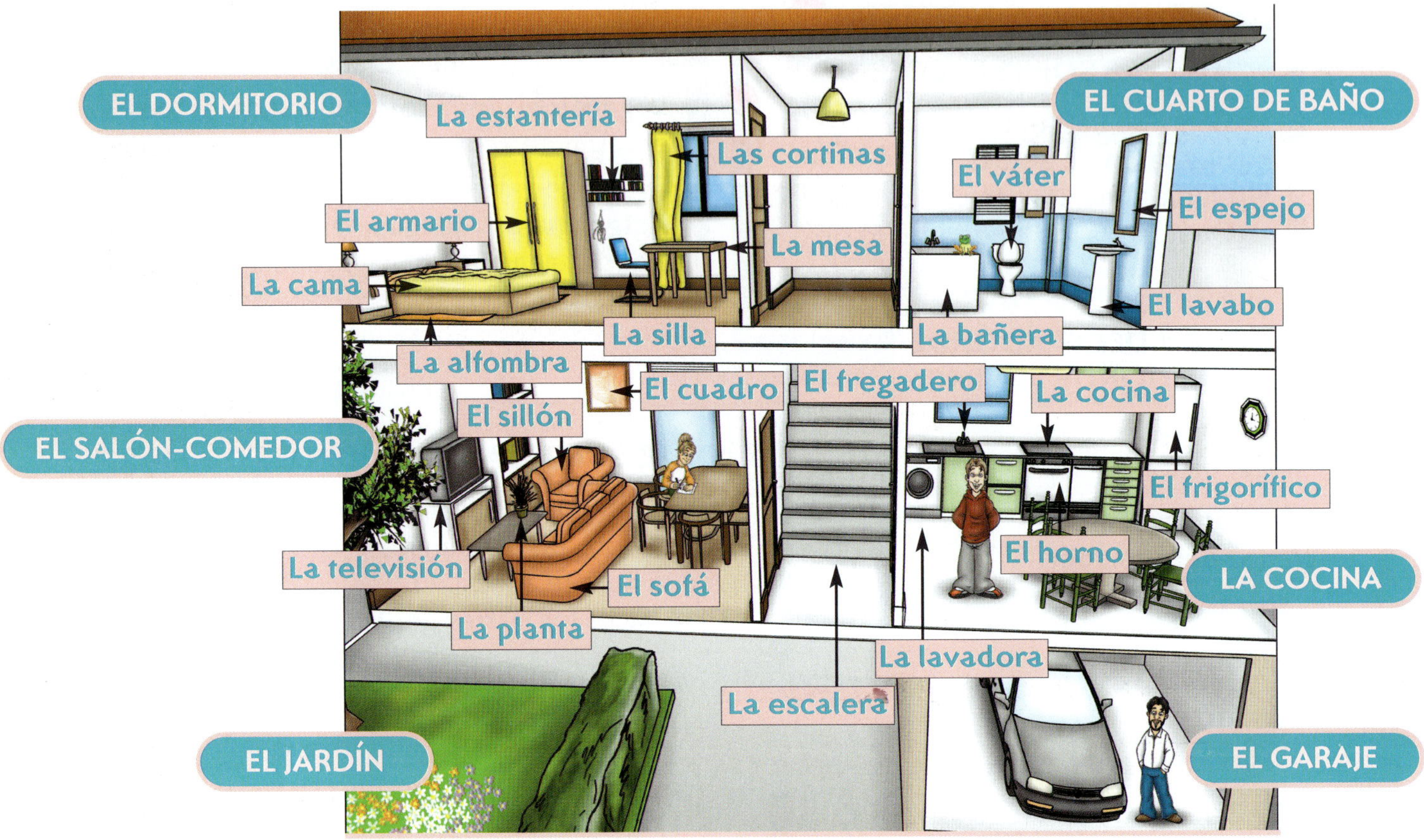

EL DORMITORIO
La estantería
Las cortinas
El armario
La mesa
La cama
La silla
La alfombra

EL CUARTO DE BAÑO
El váter
El espejo
El lavabo
La bañera

EL SALÓN-COMEDOR
El cuadro
El sillón
La televisión
El sofá
La planta

LA COCINA
El fregadero
La cocina
El frigorífico
El horno
La lavadora

La escalera

EL JARDÍN

EL GARAJE

Julia vive en un chalé. Su casa tiene tres dormitorios, dos cuartos de baño, un salón-comedor, una cocina y un garaje. Los dormitorios están en la planta de arriba. La cocina y el salón están en la planta de abajo. También tiene jardín.

2. Practica.

- ¿Dónde está la cama?
- En el dormitorio.

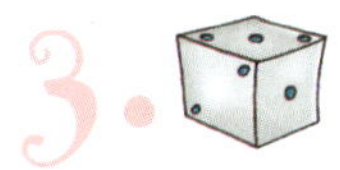

3. Juega con tus compañeros.

4. Observa y aprende.

¿Dónde está Pancha?

delante del sillón

detrás del sillón

entre el sillón y el sofá

al fondo del pasillo

encima de  debajo de  dentro de  al lado de  

5. Observa la casa de Julia. Elige un mueble y pregunta a tu compañero dónde está.

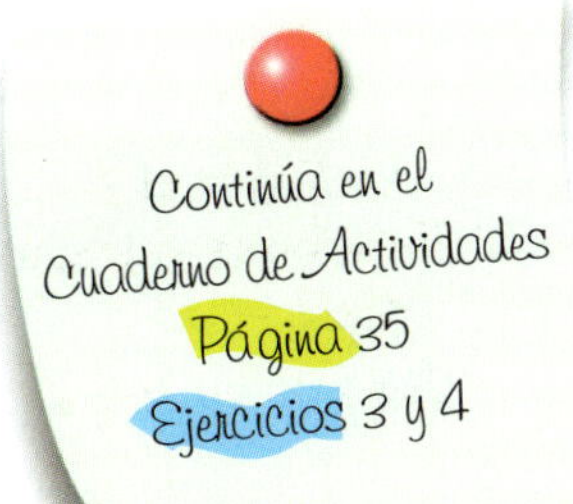
Continúa en el Cuaderno de Actividades
Página 35
Ejercicios 3 y 4

LECCIÓN

11 Compartimos tareas

1. Escucha y canta.

El jardín de la alegría

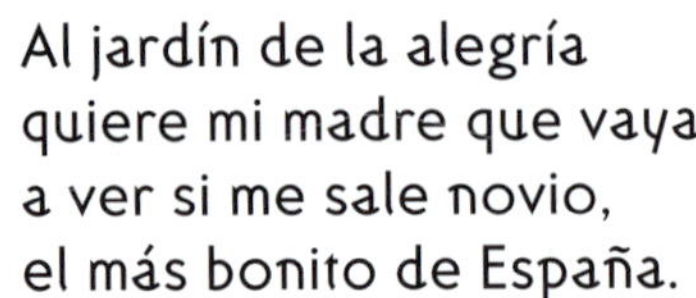

Al jardín de la alegría
quiere mi madre que vaya
a ver si me sale novio,
el más bonito de España.

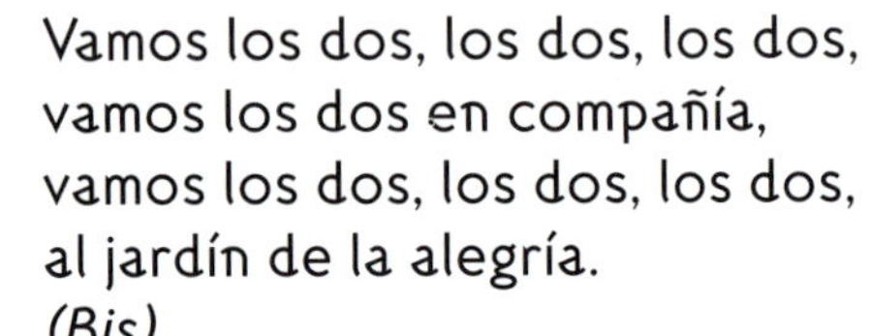

Vamos los dos, los dos, los dos,
vamos los dos en compañía,
vamos los dos, los dos, los dos,
al jardín de la alegría.
(Bis)

2. Escucha y repite.

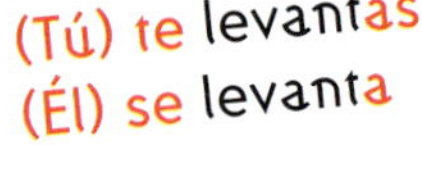

LEVANTARSE
(Yo) me levanto
(Tú) te levantas
(Él) se levanta

BAÑARSE
(Yo) me baño
(Tú) te bañas
(Él) se baña

LAVARSE LA CARA
(Yo) me lavo
(Tú) te lavas
(Él) se lava

DUCHARSE
(Yo) me ducho
(Tú) te duchas
(Él) se ducha

PONERSE
(Yo) me pongo
(Tú) te pones
(Él) se pone

LAVARSE LOS DIENTES
(Yo) me lavo
(Tú) te lavas
(Él) se lava

PEINARSE
(Yo) me peino
(Tú) te peinas
(Él) se peina

ACOSTARSE
(Yo) me acuesto
(Tú) te acuestas
(Él) se acuesta

3. ¿Qué hacen? Habla con tu compañero.

a

b

c

d

e

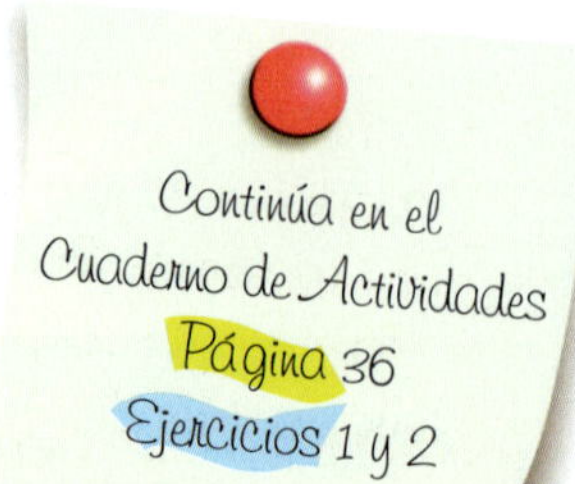
Continúa en el
Cuaderno de Actividades
Página 36
Ejercicios 1 y 2

4. Lee, observa y contesta.

	PAPÁ	MAMÁ	RUBÉN	ANA	OMAR
Hacer la comida					
Poner la mesa					
Quitar la mesa					
Lavar los platos					
Barrer el suelo					
Limpiar el polvo					

	PAPÁ	MAMÁ	RUBÉN	ANA	OMAR
Poner la lavadora					
Tender la ropa					
Planchar la ropa					
Hacer las camas					
Sacar la basura					
Pasar el aspirador					

- ¿Quién hace la comida?
- ¿Quién pone la mesa?
- ¿Qué tareas hace papá?
- ¿Qué tareas hace Ana?

5. Observa, aprende y practica.

Siempre pongo la mesa.

A veces saco la basura.

Nunca quito la mesa.

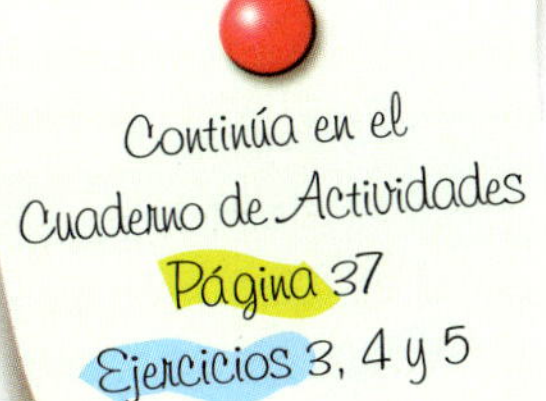

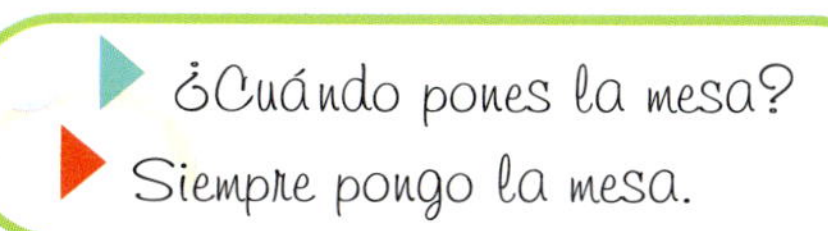

¿Qué tareas haces tú?

LECCIÓN

12 ¿Qué quieres comer?

1. Lee y observa.

MENÚ

2. Lee y escucha.

3. ¿Qué quieren comer?

¿Y tú qué prefieres?

a

b

c

4. Observa y aprende.

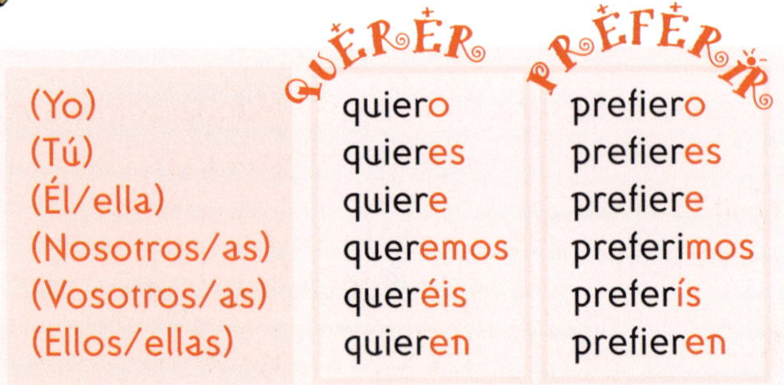

	QUERER	PREFERIR
(Yo)	quiero	prefiero
(Tú)	quieres	prefieres
(Él/ella)	quiere	prefiere
(Nosotros/as)	queremos	preferimos
(Vosotros/as)	queréis	preferís
(Ellos/ellas)	quieren	prefieren

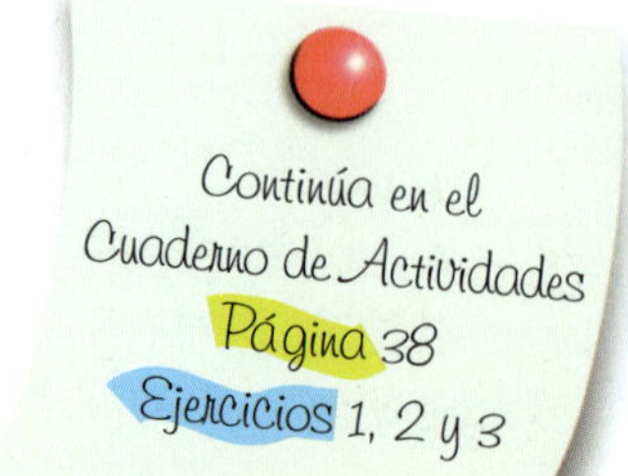

5. Observa y lee.

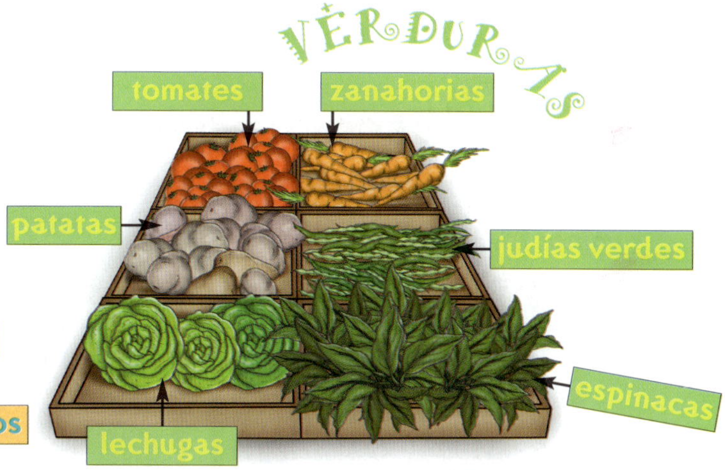

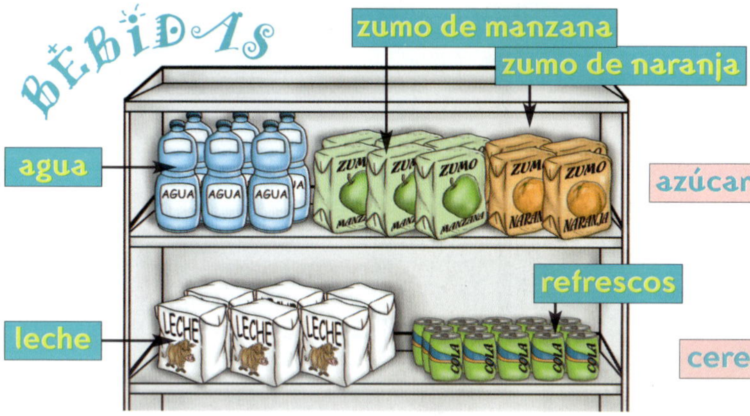

FRUTAS

manzanas
uvas
peras
naranjas
melón
plátanos

VERDURAS

tomates
zanahorias
patatas
judías verdes
lechugas
espinacas

BEBIDAS

zumo de manzana
zumo de naranja
agua
leche
refrescos

OTROS ALIMENTOS

jamón
queso
chorizo
tostadas
galletas
azúcar
mantequilla
pan
cereales
mermelada
café
salchichas

6. Observa, aprende y practica.

▶ ¿Te gustan las uvas?
▶ Me gustan mucho.

▶ ¿Te gusta el queso?
▶ Me gusta un poco.

▶ ¿Te gustan las naranjas?
▶ No me gustan nada.

7. Observa y aprende.

	GUSTAR
(A mí)	me gusta/n
(A ti)	te gusta/n
(A él/ella)	le gusta/n
(A nosotros/as)	nos gusta/n
(A vosotros/as)	os gusta/n
(A ellos/ellas)	les gusta/n

Continúa en el Cuaderno de Actividades
Página 39
Ejercicios 4, 5, 6 y 7

De paseo por ...

Más museos y el restaurante

1. Escucha y lee.

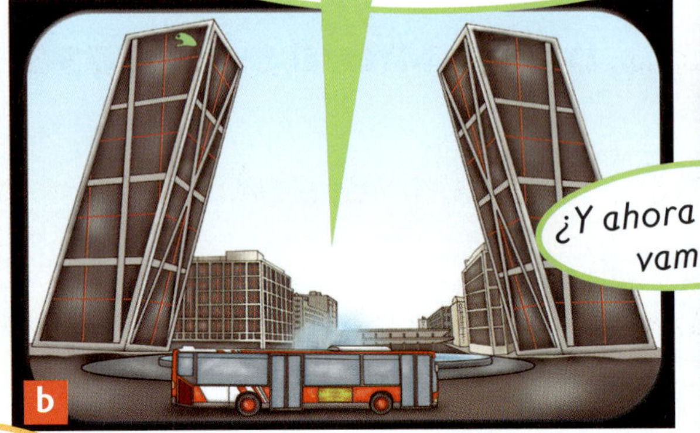
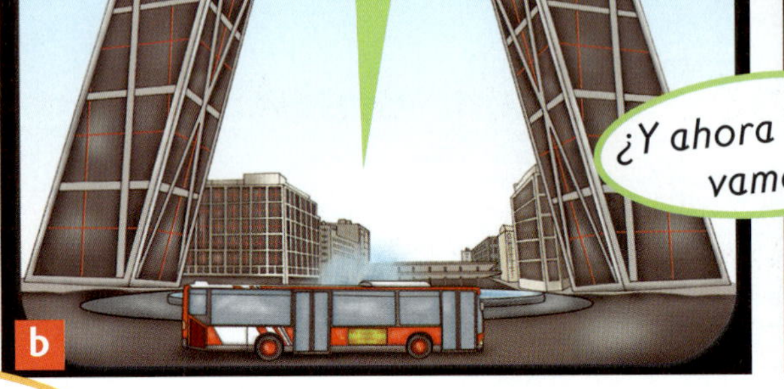

El jamón serrano, la tortilla de patatas y la paella son comidas típicas españolas. ¿Qué comidas son típicas de tu país? ¿Te gustan?

2. Lee y aprende.

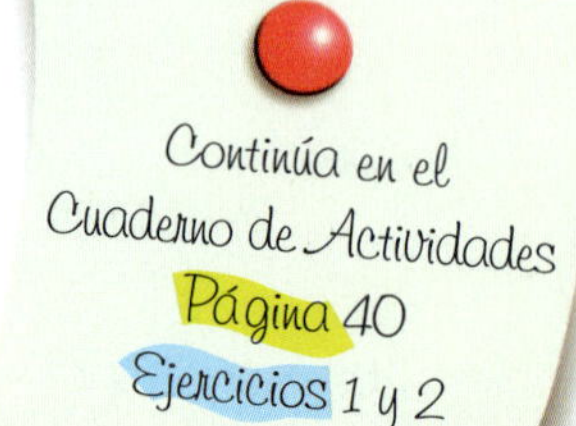

Y ahora...
Nuestro Proyecto

1. Dibuja tu casa por fuera.
2. Dibuja un plano de tu casa por dentro.
3. Escribe un texto sobre tu casa.
4. Expónlo a tus compañeros.

El rincón de los sonidos

a. Escucha y repite.

b. Practica con tus compañeros.

¿Cómo se escribe ajo?

a - jota - o

El chiste

Continúa en el Cuaderno de Actividades
Página 41
Ejercicio 1

El rincón de lectura

Vamos a

Capítulo 4

Continuará...

repasar

Mis documentos. Abrir carpetas

1. ¿Lo sabes? Repasa y señala.

VERBOS REFLEXIVOS
Lavarse
Bañarse
Ducharse
Levantarse
Acostarse

HABITACIONES DE LA CASA

el dormitorio	el garaje
el salón	el cuarto de baño
el comedor	el jardín
la cocina	la terraza

TAREAS DE LA CASA
hacer la comida,
poner la mesa,
quitar la mesa,
sacar la basura...

NÚMEROS
100, 200...

SITUAR OBJETOS
En la planta de abajo
En la planta de arriba

Al fondo	Entre
Al lado	Delante
Detrás	

HABLAR SOBRE ACTIVIDADES Y GUSTOS

- ¿Qué haces?
- Yo pongo la mesa.
- ¿Qué estás haciendo?
- Estoy poniendo la mesa.
- Ella se baña.
- Yo me lavo los dientes.
- ¿Qué quieres comer?
- Yo quiero una ensalada.
- Yo prefiero espaguetis.
- A mí me gustan los helados.

MUEBLES Y OBJETOS DE LA CASA

el sofá	el frigorífico
el sillón	la cocina
la televisión	la lavadora
la lámpara	el fregadero
el cuadro	el horno
la planta	la bañera
el lavabo	el váter
la ducha	el espejo

FRECUENCIA
Siempre
A veces
Nunca

VERBOS
Gustar
Querer
Preferir

LOS SONIDOS
ja - jo -ju
je/ge
ji/gi

ALIMENTOS
la manzana, la pera...
la ensalada, la paella...
la leche, el agua...

2. Me ha parecido...

Colorea

LECCIÓN 13

Mi barrio

1. Observa el plano.

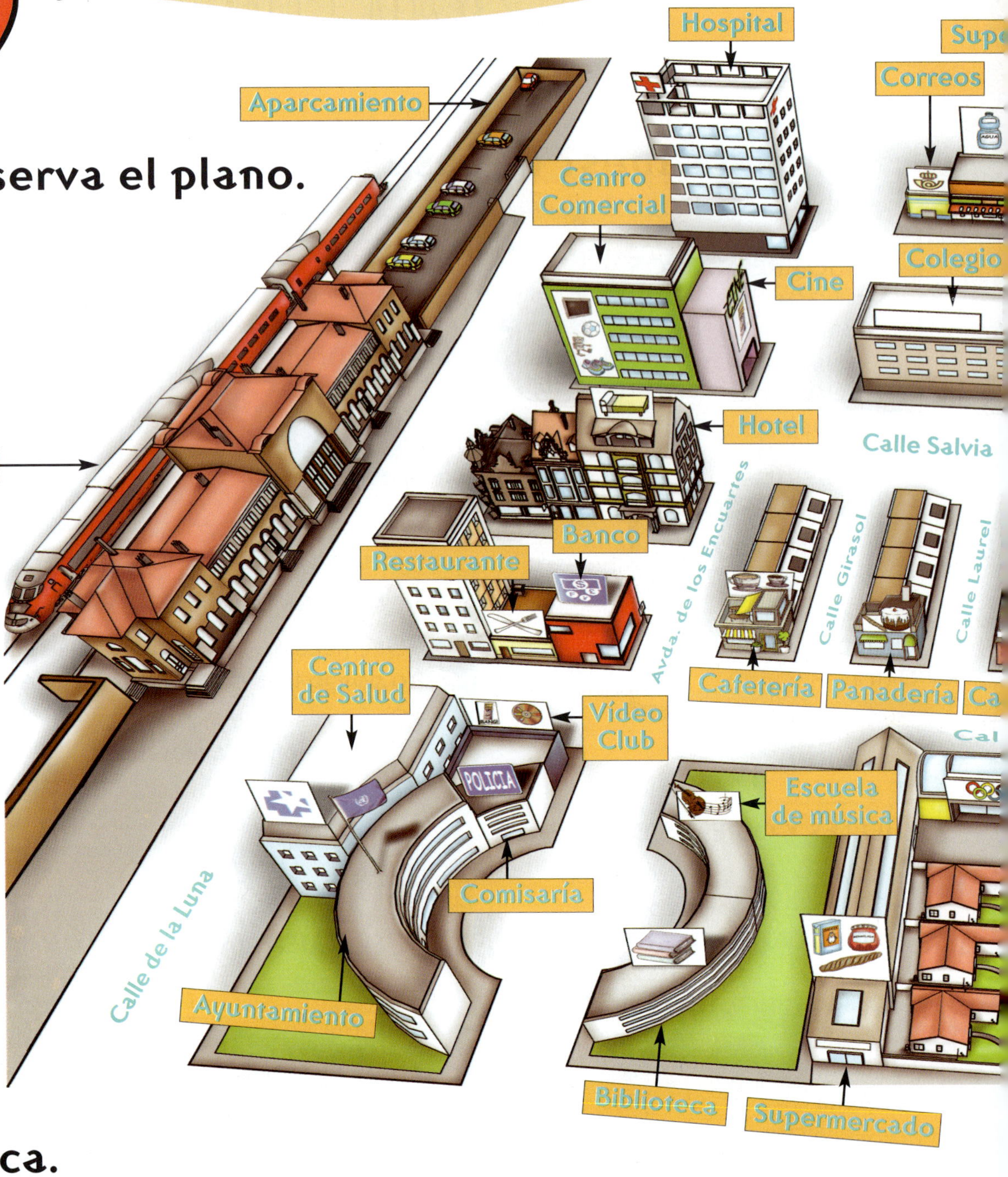

Hospital
Super...
Correos
Aparcamiento
Centro Comercial
Cine
Colegio
Hotel
Calle Salvia
Estación de tren
Banco
Restaurante
Avda. de los Encuartes
Calle Girasol
Calle Laurel
Centro de Salud
Cafetería
Panadería
Ca...
Vídeo Club
Escuela de música
Comisaría
Calle de la Luna
Ayuntamiento
Biblioteca
Supermercado

2. Practica.

Utiliza *en, entre, al lado de, enfrente de...*

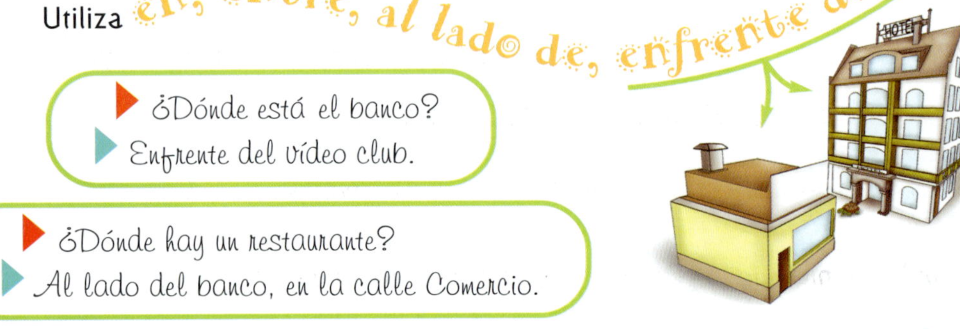

- ¿Dónde está el banco?
- Enfrente del vídeo club.

- ¿Dónde hay un restaurante?
- Al lado del banco, en la calle Comercio.

Continúa en el Cuaderno de Actividades
Página 44
Ejercicios 1 y 2

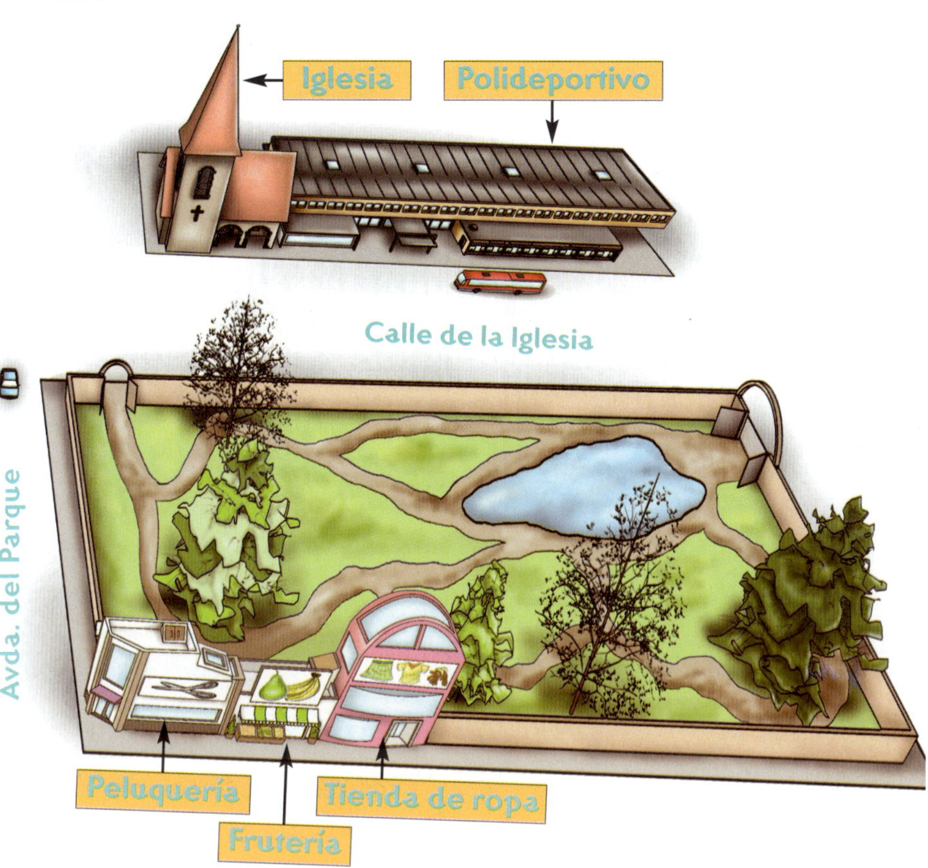

3. Observa y aprende.

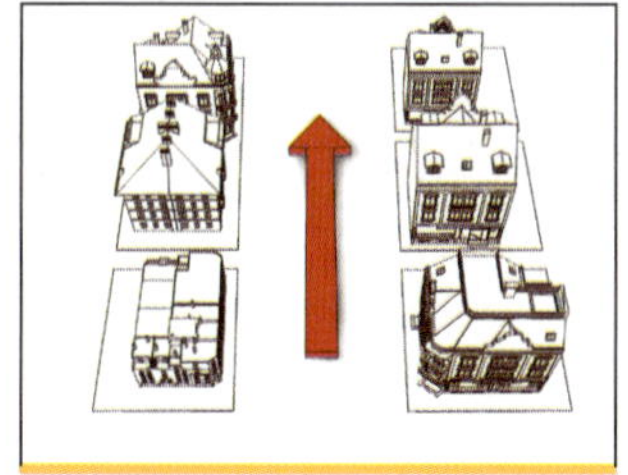
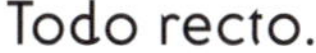

Todo recto.

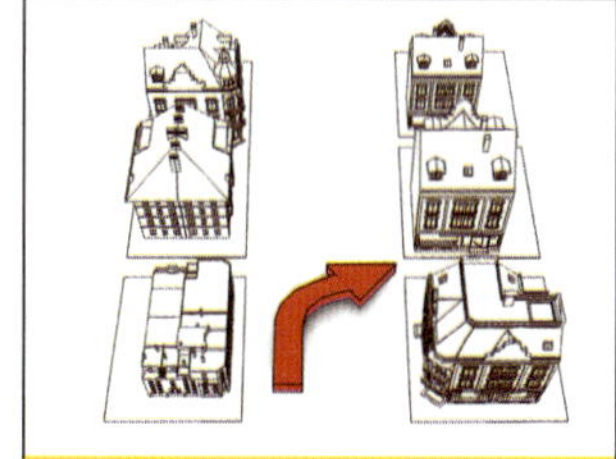

Gira la primera a la derecha.

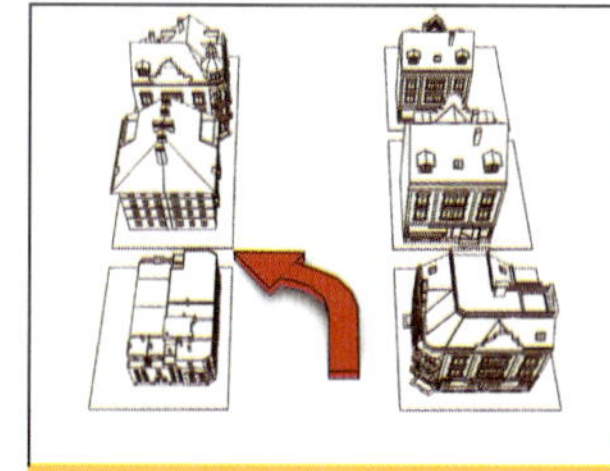

Gira la primera a la izquierda.

4. Observa el plano. Estás en el Ayuntamiento. Di a tu compañero como ir a:

a. El restaurante b. La peluquería c. La piscina d. El colegio

Por la Avenida de los Encuartes y gira la primera a la izquierda.

Continúa en el Cuaderno de Actividades
Página 45
Ejercicios 3 y 4

LECCIÓN 12

De compras

1. Observa y di dónde se pueden comprar o vender las siguientes cosas.

filetes

pan

manzanas

el periódico

unos zapatos

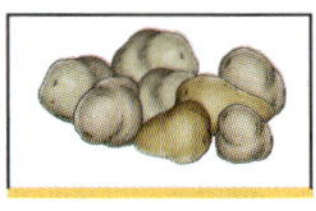

patatas

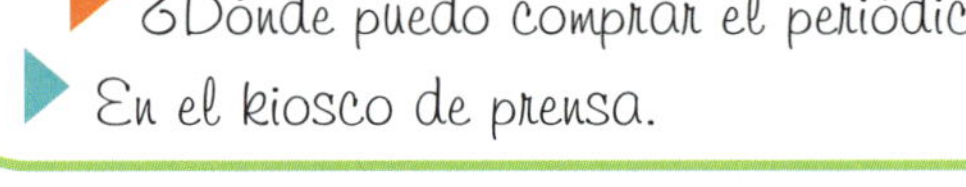

- ¿Dónde venden naranjas?
- En la frutería.

- ¿Dónde puedo comprar el periódico?
- En el kiosco de prensa.

2. Escucha, lee y representa.

Hola.

Hola, buenas tardes.

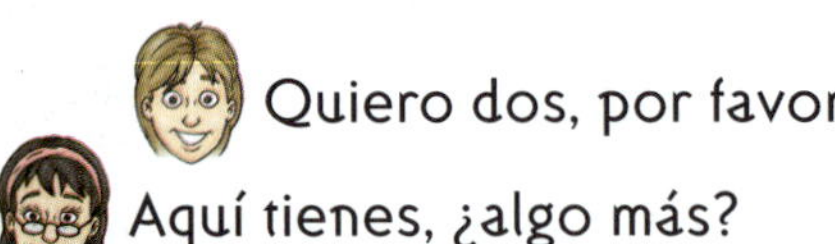
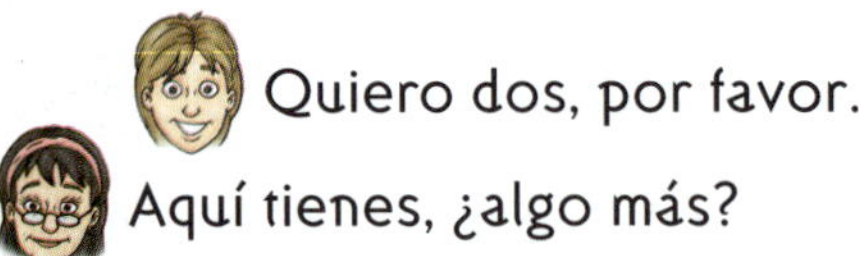

¿Cuánto cuestan los chupa-chups?

Cincuenta céntimos.

Quiero dos, por favor.

Aquí tienes, ¿algo más?

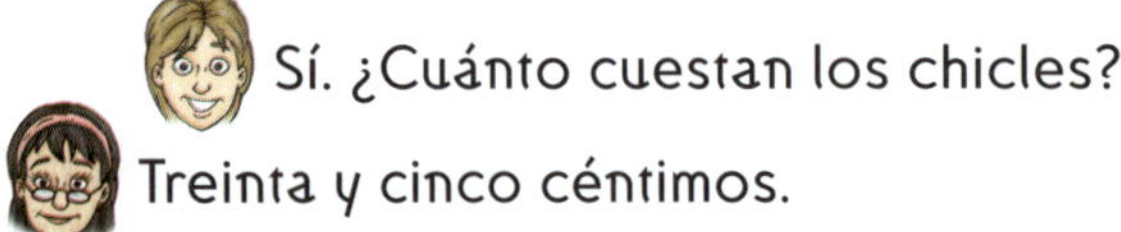

Sí. ¿Cuánto cuestan los chicles?

Treinta y cinco céntimos.

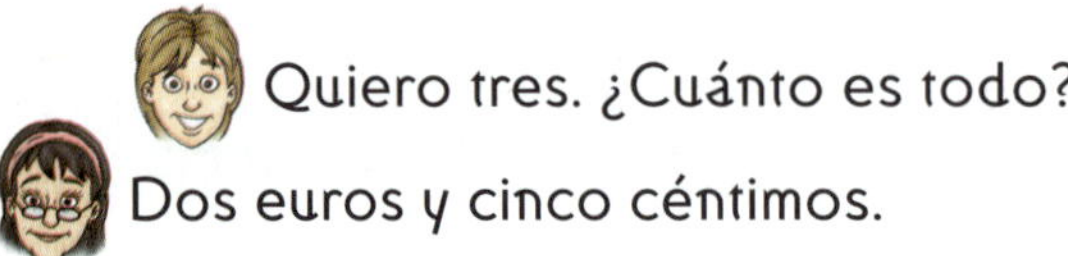

Quiero tres. ¿Cuánto es todo?

Dos euros y cinco céntimos.

Gracias, adiós.

Adiós.

¿Cuánto cuesta/n ...?
¿Cuánto es?

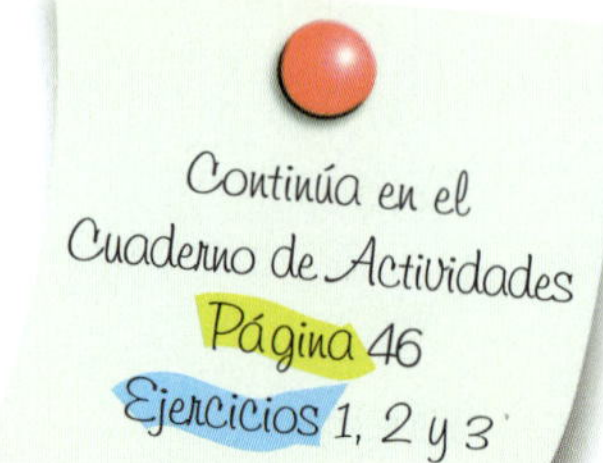

Continúa en el Cuaderno de Actividades
Página 46
Ejercicios 1, 2 y 3

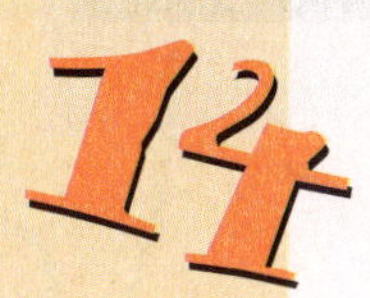

3. Juega con tus compañeros.

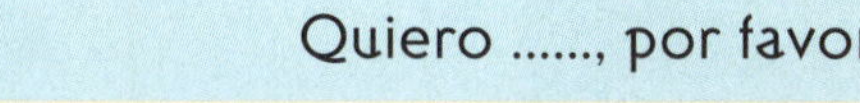

En las tiendas

Quiero ......, por favor.

"Contesta una pregunta verde"

1. ¿Dónde venden medicinas?
2. Quieres comprar pescado. ¿A qué tienda vas?
3. Nombra tres frutas y dos verduras.
4. ¿Dónde puedes comprar un sofá?
5. Un cuaderno cuesta 90 céntimos. ¿Cuánto cuestan tres cuadernos?
6. ¿Dónde venden cómics?

"Contesta una pregunta morada"

1. Un kilo de plátanos cuesta 2,10 euros. ¿Cuánto cuestan dos kilos?
2. Quieres comprar un bañador. ¿A qué tienda vas?
3. ¿Dónde venden raquetas?
4. Nombra cuatro cosas que puedes comprar en una tienda de ropa.
5. ¿Dónde puedes comprar una mascota?
6. Nombra tres tiendas que empiecen por P.

Salida

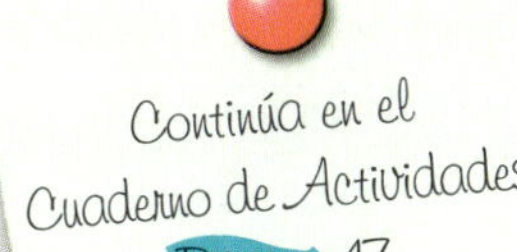

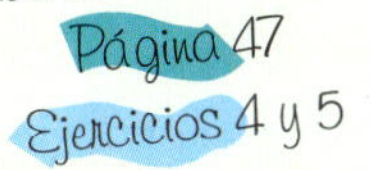

Continúa en el Cuaderno de Actividades
Página 47
Ejercicios 4 y 5

Medios de transporte

1. Observa y aprende.

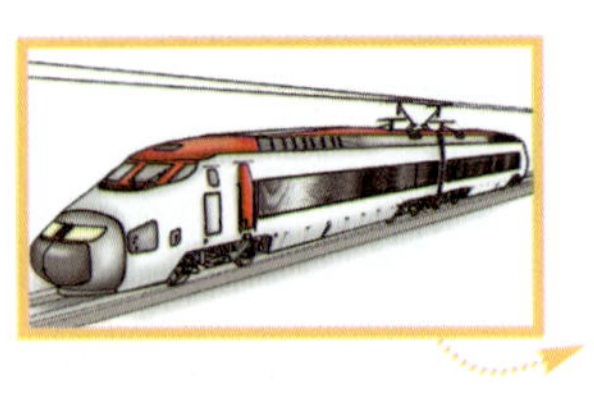
tren

coche

autobús

furgoneta

metro

camión

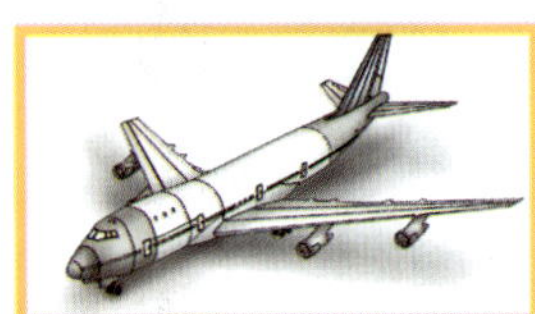
avión

moto

taxi

barco

bicicleta

a pie / andando

2. Escucha. ¿Qué suena?

3. Observa y aprende.

Ir en tren, coche, autobús...
Ir a pie / andando.

4. Practica.

- ¿Cómo vas al colegio?
- ¿Cómo vas al cine?
- ¿Cómo vas a otro país?
- ¿Cómo vas a una isla?

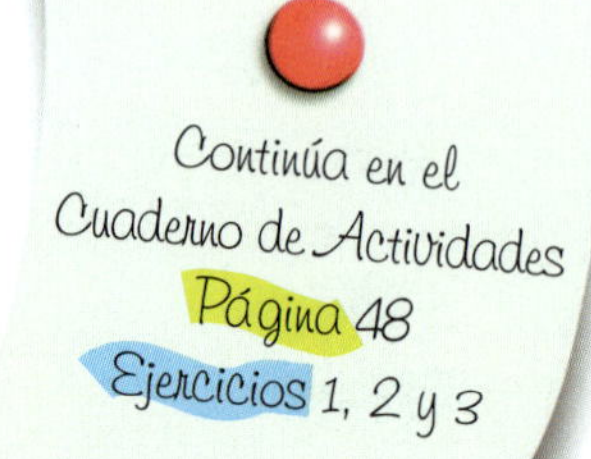
Continúa en el Cuaderno de Actividades
Página 48
Ejercicios 1, 2 y 3

5. Escucha y canta.

El tren

Chucu - chucu - chu
el traqueteo del tren.
Chucu - chucu - chu
¿dónde está el revisor?
Que se pare este cacharro
que me quiero bajar
en la próxima estación.
(3 veces)

El rincón de los sonidos

a. Escucha y repite.

b. Practica con tu compañero.

¿Cómo se escribe helado?

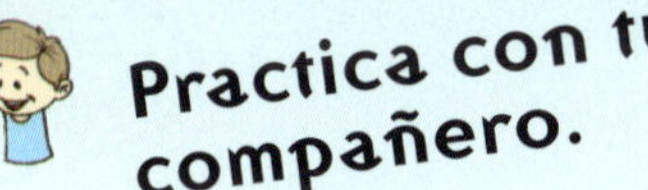

a. Escucha y repite.

b. Practica con tu compañero.

¿Cómo se escribe coche?

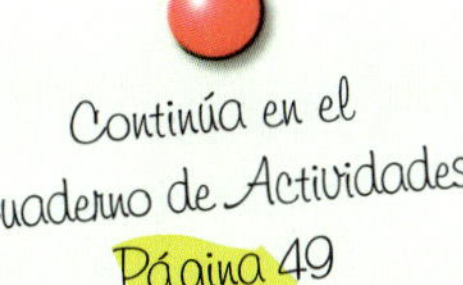

Continúa en el Cuaderno de Actividades
Página 49
Ejercicios 4, 5, y 6

De paseo por ...

Estaciones y aeropuertos

1.  **Escucha, lee y contesta.**

¿Hay metro en tu ciudad?

¿Hay estación de tren en tu ciudad?

¿Hay aeropuerto en tu ciudad?

Continúa en el Cuaderno de Actividades
Página 50
Ejercicios 1, 2 y 3

Y ahora... Nuestro Proyecto

1. Haz una lista de todos los edificios y tiendas que hay en tu barrio.

- Farmacia.
- Tienda de juguetes.
- Frutería.
- ...

2.  Dibujadlo y ponedlo en común.

3. Haced un plano con los edificios del barrio.

Continúa en el Cuaderno de Actividades
Página 51
Ejercicio 1

El rincón de lectura

Capítulo 5

Continuará...

repasar

Mis documentos. Abrir carpetas

1. ¿Lo sabes? Repasa y señala.

LOS EDIFICIOS Y LUGARES

la estación	el supermercado
el aparcamiento	Correos
el hospital	la piscina
el hotel	el colegio
el Centro de salud	el restaurante
el Ayuntamiento	el vídeo-club
la comisaría	el gimnasio
la biblioteca	el parque
la escuela de música	el polideportivo
la casa de la cultura	la iglesia

LAS TIENDAS

la panadería	la tienda de ropa
la frutería	la tienda de animales
la carnicería	la tienda de deportes
la pescadería	la tienda de juguetes
la heladería	la tienda de golosinas
la papelería	la tienda de muebles
la librería	
la peluquería	el kiosco
la zapatería	la farmacia

PREGUNTAR POR LUGARES

¿Dónde está el Ayuntamiento?
¿Dónde hay una farmacia?
¿Dónde venden leche?
¿Dónde puedo comprar plátanos?

DECIR DÓNDE ESTÁ UN LUGAR O EDIFICIO

El colegio está entre el parque y la iglesia.
Hay un hotel en la calle Mayor.
El banco está al lado del hotel.
La panadería está enfrente de Correos.

COMPRAR Y PEDIR EL PRECIO

¿Tiene helados?
Quiero un helado, por favor.
¿Cuánto cuesta un chicle?
¿Cuánto cuestan los caramelos?
¿Cuánto es?

VERBOS

Comprar	Querer
Vender	Comer
Poder	Beber

MEDIOS DE TRANSPORTE

el tren	el avión
el coche	el taxi
el autobús	el barco
el metro	la bicicleta
el camión	

DECIR CÓMO VAMOS A LOS SITIOS

en tren
en coche
andando

LOS SONIDOS

ha - he - hi - ho - hu
cha - che - chi - cho - chu

INDICAR DIRECCIONES

Todo recto.
Gira a la derecha.
Gira a la izquierda.

2. Me ha parecido... Colorea

difícil  regular  fácil 

LECCIÓN

Cómo me siento

1. Escucha y repite.

¿Qué te pasa?

2. Observa y aprende.

Estoy	un poco muy	contento - contenta cansado - cansada enfadado - enfadada triste - triste

¿Qué te pasa?
Estoy muy cansado.

3. Practica.

¿Qué les pasa?

- ¿Qué le pasa a Ana?
- Ana está triste.

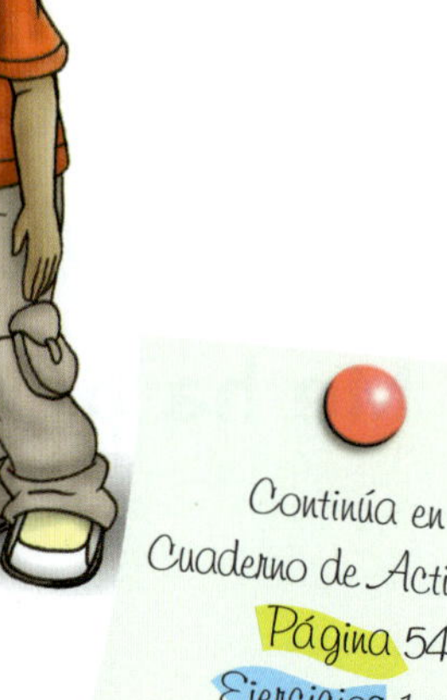

Continúa en el Cuaderno de Actividades
Página 54
Ejercicios 1 y 2

4.  Observa y lee.

5.  Observa y aprende.

Tengo	mucha mucho	hambre, sed sueño, miedo, frío, calor

¿Qué te pasa?
Tengo mucho frío.

6.  Escucha y canta.

Tumbas...

Cuando el reloj marca la una
los esqueletos salen de la tumba.
Tumbas por aquí.
Tumbas por allá.
¡Tumbas! ¡Tumbas!
¡Ja, ja, ja, ja, ja!

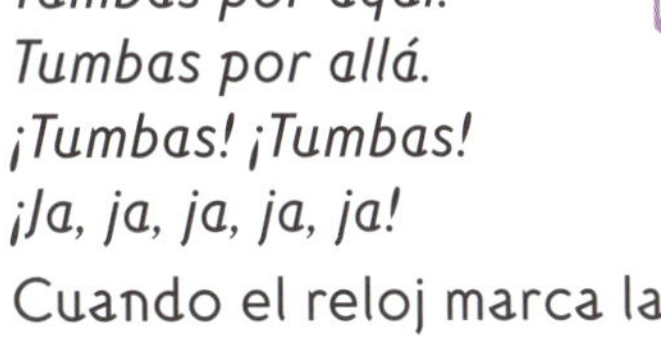

Cuando el reloj marca las dos
los esqueletos comen arroz.
Tumbas por aquí...

Cuando el reloj marca las tres
los esqueletos beben café.
Tumbas por aquí...

Cuando el reloj marca las cuatro
los esqueletos bailan un rato.
Tumbas por aquí...

Cuando el reloj marca las cinco
los esqueletos hablan en chino.
Tumbas por aquí...

Cuando el reloj marca las seis
los esqueletos cantan ¡hey!
Tumbas por aquí...

Cuando el reloj marca las siete
los esqueletos se lavan los dientes.
Tumbas por aquí...

Cuando el reloj marca las ocho
los esqueletos limpian el polvo.
Tumbas por aquí...

Cuando el reloj marca las nueve
los esqueletos a la tumba vuelven.
Tumbas por aquí...

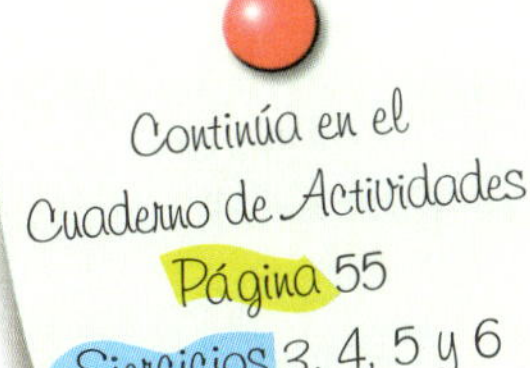
Continúa en el
Cuaderno de Actividades
Página 55
Ejercicios 3, 4, 5 y 6

LECCIÓN 17 Me duele la garganta

1.  Escucha y lee.

¿Qué te pasa, Ana?

Me duelen los oídos y la garganta.

a

2. Observa y aprende.

	DOLER
(A mí)	me duele/n
(A ti)	te duele/n
(A él/ella)	le duele/n
(A nosotros/as)	nos duele/n
(A vosotros/as)	os duele/n
(A ellos/ellas)	les duele/n

Me duele la garganta.
la cabeza.
el estómago.

Me duelen los oídos.
las muelas.

3. Observa los dibujos y di a tu compañero qué les duele a los personajes de la Pandilla.

a

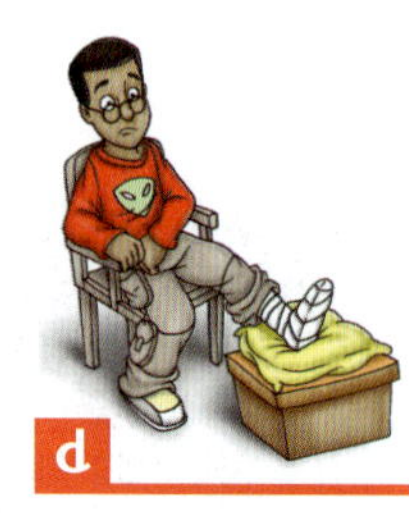

Continúa en el Cuaderno de Actividades
Página 56
Ejercicios 1, y 2

El rincón de los sonidos

a. Escucha y repite.

b. Lee.

Soy la araña
de España
que ni pica
ni araña.
Bailo flamenco
en la caña.
Tacatá, tacatá.

Gloria Fuertes

ña ñe ñi ño ñu

a. Escucha y repite.

b. Lee.

Erre con erre
guitarra.
Erre con erre
barril.
Erre con erre
las ruedas
del ferrocarril.

ra re ri ro ru

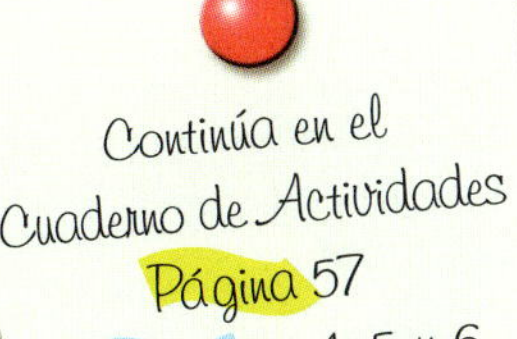

Continúa en el
Cuaderno de Actividades
Página 57
Ejercicios 3, 4, 5 y 6

LECCIÓN 18

¿Qué tiempo hace?

1. Escucha y señala.

2. Observa el mapa y contesta.

- ¿Qué tiempo hace en Bilbao?
- ¿Qué tiempo hace en Madrid?

Continúa en el Cuaderno de Actividades
Página 58
Ejercicios 1, y 2

3. Observa y lee. Las estaciones en España

Marzo
Abril
Mayo
Junio

Julio
Agosto

Septiembre

Octubre
Noviembre
Diciembre

Enero
Febrero
Marzo

4. Escucha y canta.

De colores

De colores,
de colores se visten los campos
en la primavera.
De colores,
de colores son los pajarillos
que vienen de fuera.

De colores,
de colores es el arco iris
que vemos lucir.
En primavera los grandes amores
de muchos colores
me gustan a mí.

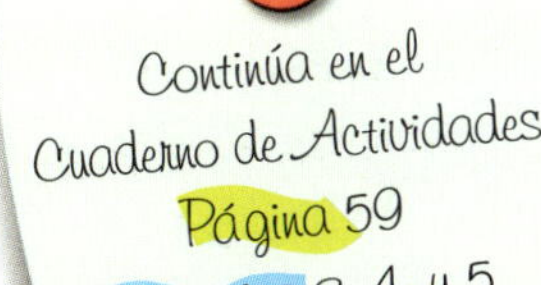
Continúa en el Cuaderno de Actividades Página 59 Ejercicios 3, 4, y 5

De paseo por ...

El teleférico y el Parque de Atracciones

1.  **Escucha, lee y contesta.**

Mira, Elena, ¿ves el rascacielos de la Plaza de España?

b

¡Sí! Y ¡Mira! ¡El templo de Debod!

¿Cómo se llama el río que pasa por Madrid?

¿Hay un río en tu ciudad?

¿Hay un parque de atracciones en tu ciudad?

Y ahora... Nuestro Proyecto

1. Entre todos, haced etiquetas con:

- Las estaciones del año: PRIMAVERA VERANO OTOÑO INVIERNO
- Los meses: ENERO FEBRERO MARZO ABRIL MAYO JUNIO
- Los días de la semana: LUNES MARTES MIÉRCOLES
- Los números del 1 al 31.
- Los verbos del tiempo: HACE ESTÁ HAY

2. Haced las ilustraciones del tiempo.

3. Haced un panel para cambiarlo todos los días.

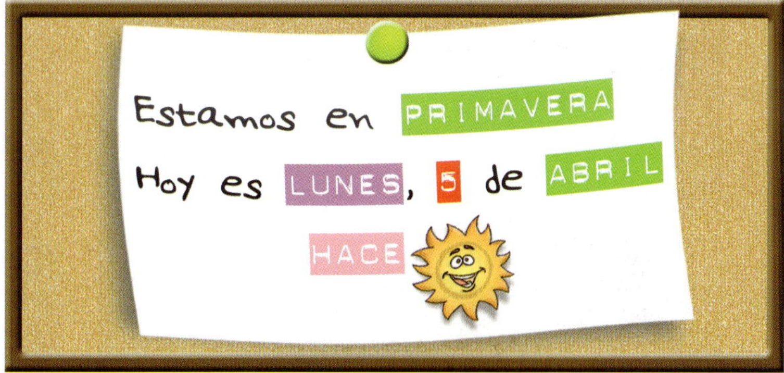

El chiste

¿Por qué los elefantes no tienen ordenador?

Porque tienen miedo del ratón.

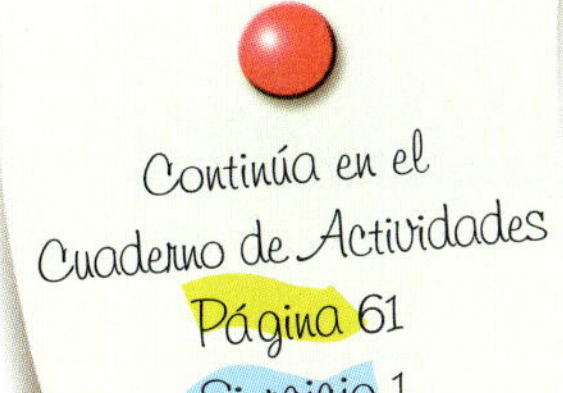

Continúa en el Cuaderno de Actividades
Página 61
Ejercicio 1

El rincón de lectura

Capítulo 6

Fin

repasar

Mis documentos. Abrir carpetas

1. ¿Lo sabes? Repasa y señala.

HABLAR DE SENTIMIENTOS Y SENSACIONES

Estoy contento.	Tengo hambre.
" triste.	" sed.
" cansado.	" calor.
" preocupado.	" frío.
" enfadado.	" miedo.
" aburrido.	" sueño.
" asustado.	" fiebre.
" enfermo.	" tos.

PREGUNTAR CÓMO NOS SENTIMOS

¿Qué te pasa?
¿Qué le pasa a Juan?

LAS ESTACIONES DEL AÑO

Primavera.
Verano.
Otoño.
Invierno.

LOS SONIDOS

ña - ñe - ñi - ño - ñu
ra - re - ri - ro - ru

PREGUNTAR POR EL TIEMPO

¿Qué tiempo hace hoy?
¿Qué tiempo hace en Madrid?
¿Qué tiempo hace en verano?

EXPRESAR INTENSIDAD

Estoy muy contento.
Tengo mucho calor.

HABLAR DE SALUD

Me duele la cabeza.
el estómago.
Me duelen los oídos.
las muelas.
A Pedro le duele el pie.
A Pedro le duelen los pies.

HABLAR DEL TIEMPO

Hace buen tiempo.	Está lloviendo = llueve.
" mal tiempo.	" nevando = nieva.
" sol.	" nublado.
" frío.	Hay niebla.
" calor.	" tormenta.
" viento.	

2. Me ha parecido... Colorea